# Sumario

# Introducción

Uno de los métodos más rápidos, sencillos y versátiles de la cocina es saltear los alimentos en un wok. En tan sólo unos minutos se puede preparar una sabrosa y atractiva composición de ingredientes a base de verduras acompañadas de carne, pescado, marisco, tofu, frutos secos,

arroz o pasta. Las posibilidades de variación son infinitas si se añaden diferentes aceites, aderezos y salsas, y el resultado es una comida rica, sana y llena de color.

Aunque el wok también resulta adecuado para estofar y freír, se utiliza sobre todo para saltear. Durante la cocción, hay que remover continuamente los ingredientes con dos palillos de bambú o con una cuchara de palo.

Algunos alimentos necesitan una cocción ligeramente más prolongada que otros. Por esa razón, el salteado se suele llevar a cabo en tandas, lo cual también permite conservar el auténtico sabor de cada ingrediente. Una vez hechos, los alimentos se retiran del wok y se reservan; al final, se mezclan todos los ingredientes y se sirve.

Hay muchas posibilidades de ser creativo en la elección de los ingredientes, incluso tratándose del salteado más sencillo. La combinación de cebolla, zanahoria, pimiento (verde, rojo, amarillo y naranja), brécol y tirabeques es una base estupenda para formar un plato con colorido. Al final de la cocción, para darle textura al plato, añada brotes de soja y remuévalo rápidamente; o, si prefiere un delicioso toque crujiente, elija castañas de agua en conserva. Un puñadito de anacardos o almendras, unas gambas o un poco de tofu o pollo cortado en dados proporcionan proteínas, mientras que si se añade arroz o pasta se consigue un plato más consistente. Las salsas ya preparadas de ostras o de alubias amarillas darán el toque final al salteado. El jengibre, el ajo y la guindilla —más o menos picante— resultan excelentes para alegrar los platos.

El sabor tailandés se caracteriza por sus pequeñas y picantes guindillas de color rojo o verde y sus curries condimentados con pastas de chile de gusto fuerte. También se puede usar cayena seca en polvo. Las guindillas no resultan tan picantes si se abren por la mitad y se desechan las semillas y la membrana blanca. Si las prefiere secas, córtelas por arriba y agítelas para que caigan las pepitas. Lávese siempre las manos tras manipular las guindillas.

# Recetas básicas

## Caldo de pollo casero

PARA 1,7 LITROS

1 kg de carne de pollo sin piel

2 tallos de apio

1 cebolla

2 zanahorias

1 diente de ajo

unas ramitas de perejil fresco

2 litros de agua

sal y pimienta

1 Disponga todos los ingredientes en una cazuela.

2 Llévelo todo a ebullición. Retire la espuma que vaya apareciendo en la superficie con una espumadera. Reduzca el fuego, tape la cazuela parcialmente y deje que el caldo cueza lentamente durante 2 horas. Déjelo enfriar.

3 Disponga un colador con un paño de muselina sobre un recipiente grande y cuele el caldo. El pollo hervido puede aprovecharse para preparar otros platos. Deseche los demás ingredientes. Tape el caldo y guárdelo en el frigorífico.

4 Retire la grasa que se haya formado en la superficie. Puede guardar el caldo en la nevera durante 3–4 días, o congelarlo en porciones.

## Caldo de pescado casero

PARA 1,7 LITROS

1 cabeza, espinas y recortes de pescado (merluza, congrio, etc.)

1–2 cebollas, en trozos

1 zanahoria, en trozos

1–2 tallos de apio, en trozos

1 buen chorro de zumo de limón

1 ramito de hierbas aromáticas o 2 hojas secas o frescas de laurel

1 Lave los despojos de pescado y dispóngalos en una cazuela. Añada el agua y llévela a ebullición.

2 Retire la espuma que se forma en la superficie con una espumadera. Añada los demás ingredientes. Cúbralo y deje que cueza suavemente unos 30 minutos.

3 Cuélelo y deje que se enfríe. Refrigérelo y úselo durante los 2 días siguientes.

## Pasta de harina de maíz

La pasta de harina de maíz se hace con 1 parte de maicena o harina de maíz y 1½ partes de agua fría. Bata bien bien la mezcla hasta que quede cremosa. Esta pasta se suele utilizar para espesar salsas.

# Caldo de verdura casero

Este caldo puede conservarse en el frigorífico durante 3 días, o en el congelador unos 3 meses. No añada sal en el momento de prepararlo: es mejor sazonarlo teniendo en cuenta la receta para la que se va a utilizar.

PARA 1,5 LITROS

250 g de chalotes

1 zanahoria grande, en dados

1 tallo de apio, picado

½ bulbo de hinojo

1 diente de ajo

1 hoja de laurel

perejil y estragón frescos

2 litros de agua

pimienta

1 Ponga todos los ingredientes en una cazuela con el agua y llévellos a ebullición.

2 Retire la espuma de la superfice del caldo con una espumadera. Reduzca el fuego, tape la cazuela parcialmente y deje que el caldo cueza lentamente durante 45 minutos. Retírelo del fuego y déjelo enfriar.

3 Coloque un colador con un paño de muselina sobre un recipiente grande y cuele el caldo. Deseche todos los ingredientes utilizados.

4 Tape y conserve el caldo en el frigorífico hasta un máximo de 3 días, o congélelo en porciones.

# Leche de coco fresco

Para hacer esta receta con coco fresco, ralle 250 g del mismo en un cuenco, añada unos 600 ml de agua hirviendo hasta cubrirlo y deje reposar la mezcla durante 1 hora. Cuele el líquido con un paño de muselina, presionándolo para sacar la mayor cantidad de "leche" posible. Si prefiere obtener crema de coco, déjelo reposar y aproveche la "nata" que queda en la superficie. Para esta receta se puede utilizar también coco deshidratado no azucarado en la misma proporción.

# Sopas y entrantes

La sopa es indispensable en las mesas asiáticas, sobre todo, en China, Japón, Corea y sureste de Asia. Se suele tomar entre un plato y otro para preparar el paladar. Hay muchos tipos de sopas, desde las consistentes hasta las más ligeras; estas últimas se sirven por lo general con *wontons* o tropezones de pasta.

Los entrantes suelen ser platos algo más secos; los famosos rollitos de primavera, quizás los más conocidos de la cocina china, tienen un sinfín de variantes por todo el Lejano Oriente. Otras especialidades vienen envueltas en pasta, pan o papel de arroz, o ensartadas en brochetas; también es común rebozar diferentes variedades de verduras, pescados y carnes de manera que queden crujientes. Por lo general, este tipo de delicias se sirve en los restaurantes occidentales como aperitivo antes de los platos principales.

# sopa picante de gambas a la tailandesa

## para 4 personas

2 cucharadas de pasta de tamarindo

4 guindillas rojas frescas, picadas

2 dientes de ajo, majados

2 cucharaditas de jengibre o
galanga muy picado

4 cucharadas de salsa de pescado
tailandesa

2 cucharadas de azúcar moreno
de palma o azúcar caster

1,2 litros de caldo de pescado

8 hojas de lima cafre

100 g de zanahorias, en rodajas

350 g de boniatos

100 g de mazorquitas de maíz

3 cucharadas de cilantro fresco,
picado en trozos gruesos

100 g de tomates cereza, cortados
por la mitad

225 g de gambas

1 Disponga la pasta de tamarindo, la guindilla, el ajo, el jengibre, la salsa de pescado, el azúcar y el caldo en el wok o en una sartén de base gruesa ya caliente. Añada las hojas de lima troceadas. Llévelo a ebullición, removiendo para mezclar los sabores.

2 Reduzca el fuego y añada al wok la zanahoria, el boniato y las mazorquitas cortadas por la mitad.

3 Deje cocer la sopa a fuego lento unos 10 minutos, o hasta que la verdura esté tierna.

4 Añada el cilantro, los tomates cereza y las gambas, y rehóguelo todo unos 5 minutos.

5 Pase la sopa a una sopera caliente o cuencos individuales previamente templados y sírvala caliente.

### SUGERENCIA

El jengibre tailandés o galanga pertenece a la familia del jengibre, pero es amarillo con brotes de color rosa. Su sabor es aromático y menos acre que el de la variedad común.

# sopa de marisco a la tailandesa

## para 4 personas

1,2 litros de caldo de pescado

1 tallo de hierba de limón, cortado
   a lo largo

la ralladura de ½ lima o 1 hoja
   de lima cafre

2,5 cm de jengibre fresco, en tiras

¼ de cucharada de pasta de guindilla

4–6 cebolletas

200 g de gambas grandes o
   medianas, peladas y limpias

250 g de vieiras (unas 16–20)

2 cucharadas de hojas de cilantro
   fresco

sal

pimiento rojo muy picado o rodajas
   de guindilla roja fresca, para decorar

### VARIACIÓN

Sustituya la cebolleta por puerro
tierno cortado en rodajas finas.
Aproveche también la
parte verde.

1 Ponga el caldo en el wok con la hierba de limón, la ralladura o la hoja de lima, el jengibre y la pasta de guindilla. Llévelo a ebullición, baje el fuego, tápelo y cuézalo 10–15 minutos.

2 Corte las cebolletas por la mitad a lo largo y luego en rodajas muy finas. Corte las gambas a lo largo pero sin llegar a abrirlas por la cola. Resérvelas.

3 Cuele el caldo, vuelva a ponerlo en el wok y cuézalo a fuego medio. Añada la cebolleta y deje hevir la sopa durante 2–3 minutos. Pruébela y rectifique de sal si fuera necesario. Si lo desea, también puede añadir una pizca más de pasta de guindilla.

4 Añada las vieiras y las gambas, y déjelas hacerse durante 1 minuto, hasta que tomen un aspecto opaco y las gambas se curven.

5 Añada las hojas de cilantro, disponga la sopa en cuencos individuales calientes y decórela con el pimiento rojo o las rodajas de guindilla. Sirva de inmediato.

# sopa de cangrejo y maíz dulce

## para 4 personas

1 cucharada de aceite de girasol

1 cucharadita de mezcla china
   de 5 especias

225 g de zanahorias, en tiras finas

150 g de maíz en conserva, escurrido

75 g de guisantes

6 cebolletas, en rodajas

1 guindilla roja fresca, despepitada
   y picada muy fina

400 g de carne blanca de cangrejo
   en conserva, escurrida

175 g de fideos al huevo

1,7 litros de caldo de pescado

3 cucharadas de salsa de soja clara

1 Caliente el aceite en un wok grande o una sartén de base gruesa, precalentados.

2 Añada la mezcla de 5 especias, la zanahoria, el maíz, los guisantes, las cebolletas y la guindilla, y rehóguelo durante 5 minutos sin dejar de remover.

3 Incorpore el cangrejo al wok y saltee suavemente todos los ingredientes a fuego medio durante 1 minuto, asegurándose de que la carne de cangrejo quede bien repartida.

4 Parta con cuidado los fideos al huevo y añádalos al wok.

5 Incorpore el caldo de pescado y la salsa de soja a los ingredientes, y llévelo a ebullición.

6 Cubra el wok o la sartén y deje cocer la sopa a fuego lento durante 5 minutos.

7 Remueva la sopa una vez más, pásela a un recipiente caliente o a cuencos individuales templados y sírvala inmediatamente.

**13**

# sopa de coco y cangrejo

## para 4 personas

1 cucharada de aceite de cacahuete

2 cucharadas de pasta de curry

1 pimiento rojo, cortado en tiras

600 ml de leche de coco

600 ml de caldo de pescado

2 cucharadas de salsa de pescado

225 g de carne blanca de cangrejo, fresca o en conserva

225 g de pinzas de cangrejo, frescas o congeladas

2 cucharadas de cilantro, picado

3 cebolletas, cortadas en rodajas

### SUGERENCIA

Después de usarlo, limpie el wok con agua y, si fuera necesario, con detergente y un cepillo o estropajo suaves. No lo restriegue ni use sustancias abrasivas o rallará la superficie. Séquelo bien y engráselo con un poco de aceite para proteger la superficie.

1 Caliente el aceite de cacahuete en un wok grande precalentado.

2 Añada la pasta de curry y el pimiento rojo al wok, y rehóguelo durante 1 minuto.

3 Añada la leche de coco, el caldo y la salsa de pescado, y lleve la mezcla a ebullición.

4 Seguidamente, incorpore al wok la carne y las pinzas de cangrejo, el cilantro y la cebolleta.

5 Remueva bien la mezcla y déjela al fuego durante 2–3 minutos, o hasta que todo esté bien caliente.

6 Reparta la sopa en cuencos templados y sírvala caliente.

# sopa picante

## para 4 personas

15 g de setas chinas deshidratadas

2 cucharadas de aceite de girasol

1 cebolla, en rodajas

100 g de tirabeques

100 g de brotes de bambú

3 cucharadas de salsa de guindilla
   dulce

1,2 litros de caldo de pescado o de
   verdura

3 cucharadas de salsa de soja clara

2 cucharadas de cilantro fresco,
   picado, y un poco más para decorar

450 g de bacalao en filetes, sin piel
   y cortado en dados gruesos

### SUGERENCIA

Hay muchas clases de setas
deshidratadas, pero las shiitake
son las mejores. Resultan
bastante caras, pero
cunden mucho.

1 Coloque las setas en un cuenco
grande. Añada agua hirviendo,
tape el cuenco y déjelas reposar
5 minutos. Luego escúrralas bien en
un colador. Con un cuchillo afilado,
córtelas en pedazos gruesos.

2 Caliente el aceite de girasol en
un wok o en una sartén de base
gruesa precalentados. Añada la cebolla
y sofríala a fuego medio durante unos
5 minutos, o hasta que quede tierna.

3 Añada los tirabeques, el bambú,
la salsa de guindilla, el caldo y la
salsa de soja, y llévelo a ebullición.

4 Añada el cilantro y el bacalao, y
cueza a fuego lento 5 minutos, o
hasta que el pescado esté hecho.

5 Pase la sopa a cuencos templados,
adórnela con el cilantro sobrante,
si lo desea, y sírvala muy caliente.

# sopa de champiñones agridulce y picante

## para 4 personas

2 cucharadas de pasta de tamarindo

4 guindillas rojas frescas,
   despepitadas y picadas muy finas

2 dientes de ajo, majados

2 cucharaditas de jengibre fresco,
   picado muy fino

4 cucharadas de salsa de pescado
   tailandesa

2 cucharadas de azúcar de palma
   o caster

8 hojas de lima cafre, en trozos

1,2 litros de caldo vegetal

100 g de zanahorias, en rodajas
   finas

225 g de champiñones, cortados
   por la mitad

350 g de col, cortada en tiras

100 g de judías verdes tiernas,
   cortadas por la mitad

3 cucharadas de cilantro, picado

100 g de tomates cereza, cortados
   por la mitad

1 Ponga la pasta de tamarindo, la
  guindilla, el ajo, el jengibre, la salsa
de pescado, el azúcar, la lima y el caldo
vegetal en un wok grande previamente
calentado. Llévelo a ebullición,
removiendo de vez en cuando.

2 Baje el fuego e incorpore la col,
  la zanahoria, los champiñones y
las judías. Deje cocer la sopa a fuego
lento, sin taparla, unos 10 minutos,
o hasta que la verdura quede tierna,
pero no demasiado blanda.

3 Añada el cilantro fresco y los
  tomates cereza al caldo, y déjelo
al fuego otros 5 minutos.

4 Disponga la sopa en un recipiente
  previamente templado o en
cuencos individuales calientes,
y sírvala inmediatamente.

### SUGERENCIA

El tamarindo es la fruta seca
del árbol del mismo nombre.
En pulpa o en pasta, se usa para
dar un peculiar sabor agridulce
a muchos platos orientales.

# sopa de pollo y fideos picante

## para 4 personas

2 cucharadas de pasta de tamarindo

4 guindillas rojas frescas,
    despepitadas y picadas muy finas

2 dientes de ajo, majados

2 cucharaditas de jengibre fresco,
    picado muy fino

4 cucharadas de salsa de pescado
    tailandesa

2 cucharadas de azúcar de palma
    o caster

8 hojas de lima cafre, en trozos

1,2 litros de caldo de pollo

350 g de pechugas de pollo, sin piel

100 g de zanahorias, cortadas finas

350 g de boniatos, en dados

100 g de mazorquitas de maíz

3 cucharadas de cilantro picado, y
    un poco más para decorar

100 g de tomates cereza

150 g de fideos de arroz planos

pimienta negra molida, para decorar

1 Caliente un wok grande o una sartén. Añada el tamarindo, la guindilla, el ajo, el jengibre, la salsa de pescado, el azúcar, la lima y el caldo de pollo, y lleve todo a ebullición, removiéndolo constantemente. Baje el fuego y cuézalo unos 5 minutos.

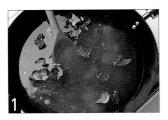

2 Con un cuchillo afilado, corte el pollo en tiras finas. Añádalas al wok y déjelas hacerse otros 5 minutos, removiendo la sopa continuamente.

3 Baje el fuego e incorpore la zanahoria, el boniato y las mazorquitas cortadas por la mitad. Déjelo cocer a fuego lento durante unos 5 minutos, o hasta que la verdura esté tierna y el pollo completamente hecho.

4 Añada el cilantro picado, los tomates cereza cortados por la mitad y los fideos de arroz planos.

5 Deje cocer la sopa durante otros 5 minutos, o hasta que los fideos estén listos.

6 Decore la sopa con el cilantro picado sobrante y pimienta negra recién molida. Sírvala caliente.

# tortilla de berenjena y seta negra china

## para 4 personas

3 cucharadas de aceite vegetal

1 diente de ajo, muy picado

1 cebolla pequeña, muy picada

1 berenjena pequeña, en dados

½ pimiento verde pequeño,
despepitado y picado

1 tomate, en dados

1 seta negra china grande,
remojada, escurrida y picada

1 cucharada de salsa de soja clara

½ cucharadita de azúcar

¼ de cucharadita de pimienta negra
molida

2 huevos grandes

hojas de lechuga, trozos de tomate
y tiras de pepino, para decorar

1 Caliente la mitad del aceite en un wok y sofría el ajo durante 30 segundos. Añada los trozos de cebolla y berenjena, y dórelos.

### SUGERENCIA

Para evitar que los ingredientes se peguen, temple el wok antes de echar el aceite y deje que éste se caliente antes de añadir los alimentos.

2 Añada el pimiento y saltéelo durante 1 minuto. Incorpore el tomate, la seta, la salsa de soja, el azúcar y la pimienta. Retire el sofrito del wok y manténgalo caliente.

3 Bata los huevos ligeramente. Caliente el aceite sobrante y bañe bien con él toda la superficie del wok. Incorpore el huevo batido y repártalo uniformemente por el fondo. Cuando cuaje, coloque el sofrito en el centro con una cuchara. Pliegue los lados de la tortilla para obtener un cuadrado.

4 Pase la tortilla con cuidado a una fuente templada y decórela con las hojas de lechuga y los trozos de tomate y pepino. Sírvala caliente.

# buñuelos tailandeses de maíz picantes

## para 4 personas

225 g de maíz dulce congelado
   o en conserva, escurrido
2 guindillas rojas frescas,
   despepitadas y muy picadas
2 dientes de ajo, majados
10 hojas de lima cafre, picadas
2 cucharadas de cilantro fresco,
   picado
1 huevo grande
75 g de polenta
100 g de judías verdes, en rodajitas
aceite de cacahuete, para freír

### SUGERENCIA

Las verdes y satinadas hojas de
la lima cafre tienen sabor a
lima o limón. Se pueden adquirir,
frescas o secas, en los comercios
asiáticos especializados.

**1** Disponga el maíz dulce, el ajo,
la guindilla, las hojas de lima, el
cilantro, el huevo y la polenta en un
recipiente grande, y mézclelos bien.

**2** Añada las judías y vuelva a
mezclar los ingredientes con
ayuda de una cuchara de madera.

**3** Divida la mezcla en pequeñas
porciones similares. Déles forma
redonda con las palmas de las manos.

**4** Caliente bien un poco de aceite de
cacahuete en un wok templado
previamente. Fría las bolitas en tandas
hasta que estén doradas y crujientes
por fuera, dándoles la vuelta de vez
en cuando.

**5** Deje escurrir los buñuelos sobre
papel absorbente mientras sigue
friendo las demás tandas.

**6** Con una espumadera, pase los
buñuelos a platos calientes
individuales y sírvalos inmediatamente.

# rollitos de primavera vegetarianos

## para 4 personas

225 g de zanahorias

1 pimiento rojo

1 cucharada de aceite de girasol,
   y un poco más para freír

75 g de brotes de soja

la ralladura y el zumo de 1 lima

1 guindilla roja fresca, despepitada
   y picada muy fina

1 cucharada de salsa de soja clara

½ cucharadita de arrurruz

2 cucharadas de cilantro fresco

8 láminas de pasta filo

2 cucharadas de mantequilla

2 cucharaditas de aceite de sésamo

PARA SERVIR

borlas de cebolleta

salsa de guindilla

1 Corte las zanahorias en juliana con un cuchillo afilado. Despepite el pimiento y córtelo en tiras finas.

2 Caliente el aceite de girasol en un wok grande precalentado.

3 Añada la zanahoria, el pimiento y los brotes, y sofríalos sin dejar de remover durante 2 minutos, o hasta que estén tiernos. Retire el wok del fuego y agregue la guindilla y la ralladura y el zumo de lima.

4 Mezcle la salsa de soja con el arrurruz hasta obtener una pasta cremosa. Añádala al wok y caliéntelo todo hasta que la salsa se espese.

5 Añada el cilantro fresco picado al wok y mezcle todo bien. Retire después el wok del fuego.

6 Coloque las láminas de pasta filo sobre una superficie de trabajo. Derrita la mantequilla con el aceite de sésamo y engrase cada lámina de pasta.

7 Ponga una cucharada del relleno de verdura en el centro de cada lámina. Doble los dos lados largos hacia dentro y enróllelas.

8 Añada un poco de aceite al wok y fría los rollitos en tandas durante 2–3 minutos, o hasta que estén dorados y crujientes.

9 Pase los rollitos a una fuente, decórelos con la cebolleta y sírvalos calientes con salsa de guindilla.

# higadillos de pollo picantes con pak choi

## para 4 personas

350 g de higadillos de pollo

2 cucharadas de aceite de girasol

1 guindilla roja fresca, despepitada
  y picada

1 cucharadita de jengibre, rallado

2 dientes de ajo, majados

2 cucharadas de ketchup

3 cucharadas de jerez seco

3 cucharadas de salsa de soja clara

1 cucharadas de harina de maíz

450 g de *pak choi*

fideos al huevo, para acompañar

1 Con un cuchillo afilado retire la grasa de los higadillos y córtelos en trocitos.

2 Caliente el aceite en un wok precalentado. Añada los higadillos y sofríalos 2–3 minutos.

3 Añada la guindilla, el jengibre y el ajo, y sofríalos durante 1 minuto.

4 Mezcle el ketchup, el jerez, la salsa de soja y la harina en un cuenco pequeño, y reserve.

5 Añada el *pak choi* al wok y saltéelo hasta que se ablande.

6 Incorpore la mezcla reservada y cueza mezclando bien hasta que la salsa empiece a hervir.

7 Sírvalo caliente en cuencos individuales acompañado de fideos.

# algas crujientes

## para 4 personas

1 kg de *pak choi*

850 ml de aceite de cacahuete
    para freír

1 cucharadita de sal

1 cucharada de azúcar caster

2½ cucharadas de piñones tostados

1 Lave las hojas de *pak choi* bajo el chorro del grifo y séquelas con papel de cocina absorbente.

2 Deseche las partes duras del *pak choi*. Enrolle las hojas y córtelas en tiras lo más finas posible. También puede utilizar el robot de cocina.

3 Caliente el aceite en un wok o en una sartén de base gruesa.

4 Con mucho cuidado añada al wok las tiras de *pak choi* y fríalas unos 30 segundos, o hasta que se empiecen a arrugar y queden crujientes. Seguramente tendrá que freírlas en varias tandas, dependiendo del tamaño del wok.

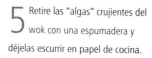

5 Retire las "algas" crujientes del wok con una espumadera y déjelas escurrir en papel de cocina.

6 Pase la verdura a un recipiente grande e incorpore la sal, el azúcar y los piñones. Sirva inmediatamente en platos individuales precalentados.

# albóndigas de pollo con salsa para mojar

## para 4 personas

2 pechugas de pollo grandes,
deshuesadas y sin piel

3 cucharadas de aceite vegetal

2 chalotes, picados finos

½ tallo de apio, picado fino

1 diente de ajo, majado

2 cucharadas de salsa de soja clara

1 huevo pequeño, batido

1 manojo de cebolletas

sal y pimienta

borlas de cebolleta, para adornar

SALSA PARA MOJAR

3 cucharadas de salsa de soja clara

1 cucharada de vino de arroz

1 cucharadita de semillas de sésamo

1 Corte el pollo en trozos de 2 cm.
Caliente la mitad del aceite en un wok o en una sartén de base gruesa precalentados y sofría el pollo a fuego vivo durante 2–3 minutos, hasta que quede dorado. Saque la carne del wok con una espumadera y resérvela.

2 Añada al wok el chalote, el apio y el ajo, y sofríalos 1–2 minutos, o hasta que se ablanden.

3 Coloque el pollo, el chalote, el apio y el ajo en un robot de cocina y píquelos muy finos. Incorpore 1 cucharada de la salsa de soja clara y la cantidad de huevo justa para obtener una mezcla consistente. Salpiméntela.

4 Limpie las cebolletas y córtelas en trozos de 5 cm. Para hacer la salsa de acompañamiento, mezcle la soja, el vino de arroz y las semillas de sésamo en una salsera pequeña. Resérvela.

5 Haga 16–18 bolitas del tamaño de una nuez con el picado de pollo. Caliente el resto del aceite en el wok y fría las albóndigas en tandas de unos 4–5 minutos cada una, hasta que tomen un color dorado oscuro. Déjelas escurrir sobre papel de cocina y manténgalas calientes.

6 Añada las cebolletas al wok o a la sartén y sofríalas durante 1–2 minutos, hasta que empiecen a ablandarse. Incorpore entonces el resto de la salsa de soja. Sírvalas con las albóndigas de pollo acompañadas de un cuenco de salsa para mojarlas, sobre una fuente decorada con las borlas de cebolleta.

# rollos de gamba

## para 4 personas

1 cucharada de aceite de girasol

1 pimiento rojo, despepitado y
cortado en tiras

75 g de brotes de soja

la ralladura y el zumo de 1 lima

1 guindilla roja fresca, muy picada

1 cucharadita de jengibre, rallado

225 g de gambas crudas, peladas

1 cucharada de salsa de pescado
tailandesa

½ cucharadita de arrurruz

2 cucharadas de cilantro, picado

8 láminas de pasta filo

2 cucharadas de mantequilla

2 cucharaditas de aceite de sésamo

aceite, para freír

borlas de cebolleta, para decorar

salsa de guindilla, para mojar

1 Caliente el aceite de girasol en un wok grande precalentado. Añada el pimiento y los brotes, y sofríalos a fuego medio durante 2 minutos, o hasta que se ablanden.

2 Retire el wok del fuego y añada la ralladura y el zumo de lima, la guindilla, el jengibre y las gambas, removiendo bien los ingredientes.

3 Mezcle la salsa de pescado con el arrurruz e incorpore la pasta al wok. Póngalo al fuego y cueza 2 minutos, sin dejar de remover, hasta que la salsa se espese. Añada el cilantro.

4 Extienda las láminas de pasta de filo en una superficie de trabajo. Derrita la mantequilla con el aceite de sésamo y unte las láminas.

5 Ponga un poco del relleno de gamba sobre cada lámina, doble los extremos largos y enróllelas.

6 Caliente el aceite en un wok grande. Fría los rollos en tandas, 2–3 minutos, o hasta que estén dorados y crujientes. Adórnelos con borlas de cebolleta y sírvalos calientes con salsa de guindilla para mojar.

# gambas crujientes y picantes

## para 4 personas

450 g de gambas grandes

3 cucharadas de mantequilla
   de cacahuete crujiente

1 cucharada de salsa de guindilla

10 láminas de pasta filo

2 cucharadas de mantequilla

50 g de fideos al huevo finos

aceite, para freír

1 Pele las gambas, pero deje la cola intacta. Con un cuchillo afilado, abra las gambas por el dorso. Aplástelas para que queden planas.

2 Mezcle bien la mantequilla de cacahuete y la guindilla en un cuenco. Con un pincel, impregne cada gamba con un poco de la mezcla.

3 Corte las láminas de pasta por la mitad y unte cada una con la mantequilla previamente derretida.

4 Coloque cada gamba sobre una mitad de pasta de filo. Envuelva las gambas con la pasta.

5 Disponga los fideos al huevo en un cuenco, cúbralos con agua hirviendo y déjelos reposar durante 5 minutos, o siga las instrucciones del envoltorio. Luego escúrralos bien. Tome 2–3 fideos y átelos alrededor de cada rollo de gamba.

6 Caliente aceite en un wok precalentado. Fría los rollos en tandas, si fuera necesario, 3–4 minutos, o hasta que estén dorados y crujientes.

7 Saque los rollos del wok con una espumadera y déjelos escurrir sobre papel de cocina. Repártalos en platos individuales y sírvalos calientes.

1

2

5

# pastelitos de pescado a la tailandesa

## para 4 personas

450 g de filetes de bacalao, sin piel

2 cucharadas de salsa de pescado
tailandesa

2 guindillas rojas tailandesas
frescas, despepitadas y picadas,
y un poco más para adornar

2 dientes de ajo, majados

10 hojas de lima cafre, muy picadas

2 cucharadas de cilantro, picado

1 huevo grande

25 g de harina

100 g de judías verdes,
en rodajitas

aceite de cacahuete, para freír

### SUGERENCIA

La salsa de pescado tailandesa
es un delicioso condimento
líquido de color marrón y sabor
salado, pero más suave que el de
la soja. Se vende en comercios
de comida asiática o centros
de dietética.

1 Con un cuchillo afilado, corte los filetes de bacalao en dados.

2 Disponga los dados en el robot de cocina con la salsa de pescado, la guindilla, el ajo, las hojas de lima, el cilantro, el huevo y la harina. Píquelo todo muy fino y coloque la pasta en un recipiente grande.

3 Añada las judías a la pasta de bacalao y mézclelas bien.

4 Haga bolitas de pasta de pescado y aplástelas un poco con las palmas de las manos.

5 Caliente un poco de aceite en un wok precalentado. Fría los pastelitos de pescado por los dos lados, hasta que estén dorados y crujientes por fuera y hechos por dentro.

6 Reparta los pastelitos en platos individuales, y sírvalos calientes, adornados con la guindilla fresca.

# tortilla de gambas

## para 4 personas

3 cucharadas de aceite de girasol

2 puerros, cortados en rodajas

350 g de gambas crudas, peladas

4 cucharadas de harina de maíz

1 cucharadita de sal

175 g de champiñones,
en láminas

175 g de brotes de soja

6 huevos

puerro frito, para decorar
(opcional)

1 Caliente el aceite de girasol en un wok o en una sartén grande previamente calentados. Añada el puerro cortado en rodajas y fríalo durante 3 minutos.

2 Lave las gambas bajo el chorro de agua fría y séquelas bien con papel de cocina.

3 Mezcle la harina de maíz y la sal en un cuenco.

4 Reboce bien las gambas en la mezcla de harina de maíz y sal.

5 Añada las gambas al wok o a la sartén y fríalas durante 2 minutos, o hasta que estén casi hechas.

6 Incorpore los champiñones en láminas y los brotes al wok, y fríalos durante 2 minutos.

7 A continuación, bata bien los huevos en un cuenco con 3 cucharadas de agua fría. Vierta el huevo batido en el wok, cueza hasta que se cuaje y déle la vuelta con cuidado. Disponga la tortilla en una fuente, divídala en 4 trozos y sírvala enseguida. Decórela, si así lo desea, con puerro frito.

# tostadas de gamba al sésamo

## para 4 personas

225 g de gambas cocidas, peladas

1 cebolleta

¼ de cucharadita de sal

1 cucharadita de salsa de soja clara

1 cucharada de harina de maíz

1 clara de huevo, batida

4 rebanadas de pan blanco
    sin la corteza

4 cucharadas de semillas de sésamo

aceite vegetal, para freír

### SUGERENCIA

Fría los triángulos en 2 tandas
—pero mantenga caliente la
primera mientras prepara la
siguiente— para evitar que se
peguen entre sí y se quemen.

1 Ponga las gambas y la cebolleta
en un robot de cocina y píquelas
finas. También puede picarlas a mano.
Pase la mezcla a un cuenco, añada la
sal, la salsa de soja, la harina y la clara
de huevo.

2 Unte las rebanadas de pan con la
mezcla y esparza por encima las
semillas de sésamo. Aplástelas con la
mano para que se adhieran bien.

3 Corte cada rebanada de pan en
4 triángulos o en tiras iguales.

4 Caliente aceite en un wok hasta
que humee. Ponga los triángulos
en el aceite, boca a bajo, y fríalos
durante 2–3 minutos, hasta que
se doren bien. Sáquelos con una
espumadera, escúrralos sobre papel
de cocina y sírvalos calientes.

# gambas a la sal y la pimienta

## para 4 personas

2 cucharaditas de sal

1 cucharadita de pimienta negra

2 cucharaditas de pimienta de
　Sichuan en grano

1 cucharadita de azúcar

450 g de gambas tigre, pelados

2 cucharadas de aceite de cacahuete

1 guindilla roja fresca, muy picada

1 cucharadita de jengibre, rallado

3 dientes de ajo, majados

cebolletas en rodajas, para adornar

pan de gambas, para acompañar

### SUGERENCIA

Las gambas tigre son fáciles
de conseguir y su carne tiene
una textura exquisita. Si utiliza
gambas ya cocidas, añádalas con
la sal y la pimienta en el paso 6.
De lo contrario quedarían duras
y poco apetitosas.

1 Machaque la sal y los granos de pimienta negra y de Sichuan en el mortero.

2 Mezcle la sal y la pimienta machacadas con el azúcar, y reserve la mezcla.

3 Lave las gambas bajo el chorro de agua fría y séquelas bien con papel de cocina.

4 Caliente el aceite de cacahuete en un wok o una sartén grande precalentados.

5 Añada las gambas, la guindilla picada, el jengibre y el ajo, y sofría todos los ingredientes durante 4–5 minutos, o hasta que las gambas estén hechas.

6 Añada la mezcla de sal y pimienta al wok o a la sartén y saltee durante 1 minuto, removiendo los ingredientes constantemente para que no se agarren al fondo.

7 Reparta el salteado de gambas en cuencos individuales calientes decorados con la cebolleta. Sirva este plato inmediatamente acompañado del pan de gambas.

# rollitos de primavera vegetales

## para 4 personas

25 g de fideos de celofán finos

2 cucharadas de aceite de cacahuete

2 dientes de ajo, majados

½ cucharadita de jengibre, rallado

55 g de setas ostra, en tiras finas

2 cebolletas, picadas

50 g de brotes de soja

1 zanahoria pequeña, en juliana

½ cucharadita de aceite de sésamo

1 cucharada de salsa de soja clara

1 cucharada de vino de arroz chino

    o de jerez seco

¼ de cucharadita de pimienta

1 cucharada de cilantro, picado

1 cucharada de menta fresca, picada

24 láminas de pasta de rollito

    de primavera

½ cucharadita de harina de maíz

aceite de cacahuete, para freír

menta fresca, para decorar

salsa de mojar, para acompañar

1 Coloque los fideos en un cuenco refractario, añada agua hirviendo hasta cubrirlos bien y déjelos reposar 4 minutos. Escúrralos, enjuáguelos con agua fría, y vuelva a secarlos. Corte los fideos en tiras de 5 cm.

2 Caliente un wok o una sartén grande, vierta el aceite y caliéntelo. Añada el ajo, el jengibre, las setas ostra, la cebolleta, los brotes y la zanahoria, y sofríalos durante 1 minuto, o hasta que se ablanden.

3 Añada el aceite de sésamo, la salsa de soja, el vino de arroz o el jerez, la pimienta, el cilantro picado y la menta. Retire el wok o la sartén del fuego. Añada los fideos.

4 Coloque las láminas de pasta en diagonal sobre una superficie de trabajo. Mezcle la harina de maíz con 1 cucharada de agua hasta formar una pasta cremosa y unte con ella los bordes de las láminas. Coloque una cucharada de relleno en cada una.

5 Enrolle una esquina de cada lámina de pasta sobre el relleno y doble los bordes hacia el centro. Continúe enrollándolas y mójelas con un poco más de pasta de harina de maíz para que no se abran.

6 Caliente aceite en un wok o en una sartén a 190 °C. Fría los rollitos en tandas de 2–3 minutos cada una, o hasta que estén dorados y crujientes. Déjelos escurrir en papel de cocina y manténgalos calientes mientras fríe el resto. Adórnelos con la menta y sírvalos calientes con salsa para mojar.

# berenjenas a las siete especias

## para 4 personas

450 g de berenjenas

1 clara de huevo

3½ cucharadas de harina de maíz

1 cucharada de mezcla de siete
especias

sal y aceite para freír

### SUGERENCIAS

El mejor aceite para freír es el de
cacahuete, ya que tiene un punto
de ignición muy alto y un sabor
suave, así que no se quema ni
altera el gusto de los alimentos.
La cantidad óptima son 600 ml.

1 Con un cuchillo afilado, corte
las berenjenas en rodajas finas.
Colóquelas en un colador, espolvoréelas
con sal y déjelas sudar unos 30 minutos
para que pierdan el toque amargo.

2 Lave bien las rodajas de
berenjena y séquelas con papel
de cocina.

3 Ponga la clara de huevo en un
cuenco pequeño y bátala hasta
que esté espumosa con un tenedor.

4 Mezcle en un plato la harina,
1 cucharadita de sal y la mezcla
de siete especias.

5 Caliente en un wok o una sartén
de base gruesa precalentados el
aceite de freír.

6 Reboce bien las rodajas de
berenjena en la clara de huevo;
luego páselas por la harina y la mezcla
de siete especias.

7 Fría las rodajas en tandas durante
5 minutos, o hasta que estén
doradas y crujientes.

8 Una vez fritas, disponga las
rodajas de berenjena sobre papel
de cocina y deje que escurran bien la
grasa. Páselas luego a una fuente y
sírvalas calientes.

# Carnes rojas y blancas

La carne es un producto caro en los países del Lejano Oriente y por ello se consume en menor cantidad que en Occidente. Sin embargo, cuando se cocina, se aprovecha por completo, ya sea adobada, especiada o mezclada con otros deliciosos sabores, para crear un sinfín de suculentos platos.

Malasia, por ejemplo, ofrece una enorme variedad de carnes picantes, que refleja los múltiples orígenes étnicos de la población. En China, la carne de ave, el cordero, el buey o el cerdo se saltean o se cuecen al vapor en el wok y se mezclan con salsas y condimentos como soja, salsa de alubias negras o salsa de ostras. Los japoneses suelen macerar la carne y sofreírla brevemente en el wok a fuego muy fuerte o hervirla en caldo de miso. La cocina tailandesa utiliza una carne especialmente magra y sabrosa, ya que procede de granjas en las que los animales se crían en libertad.

# curry de pollo al coco

## para 4 personas

2 cucharadas de aceite de girasol

450 g de pechugas o muslos de
    pollo, deshuesados y sin piel

150 g de quingombós

1 cebolla grande, cortada en tiras

2 dientes de ajo, majados

3 cucharadas de pasta de
    curry suave

300 ml de caldo de pollo

1 cucharada de zumo de limón

100 g de coco cremoso, rallado

175 g de piña fresca o en conserva,
    cortada en dados

150 ml de yogur natural cremoso

2 cucharadas de cilantro, picado

arroz hervido, para acompañar

PARA DECORAR

gajos de limón

ramitas de cilantro fresco

1 Caliente el aceite en el wok. Corte
el pollo en pedazos pequeños.
Incorpore la carne y saltéela hasta
que quede dorada.

2 Con un cuchillo afilado, prepare
los quingombós. Incorpórelos al
wok con la cebolla y el ajo, y saltéelos
unos 2–3 minutos, removiendo bien.

3 Mezcle la pasta de curry con el
caldo de pollo y el zumo de limón,
e incorpórelos al wok. Llévelo a
ebullición, tápelo y deje que hierva
a fuego lento durante 30 minutos.

4 Incorpore el coco rallado al curry
y déjelo cocer durante 5 minutos.

5 Añada la piña, el yogur y el
cilantro y déjelo hervir 2 minutos,
removiéndolo de vez en cuando.
Decórelo y sírvalo con el arroz en
platos individuales calientes.

# salteado de pollo al jengibre

## para 4 personas

2 cucharadas de aceite de girasol

1 cebolla, cortada en tiras

175 g de zanahorias, en juliana fina

1 diente de ajo, majado

350 g de pechugas o contramuslos
   de pollo, deshuesados y sin piel

1 cucharada de jengibre, rallado

1 cucharadita de jengibre molido

4 cucharadas de jerez dulce

1 cucharada de puré de tomate

1 cucharada de azúcar de Demerara

100 ml de zumo de naranja

1 cucharadita de harina de maíz

1 naranja, pelada y cortada en gajos

cebollino picado, para decorar

1 Caliente el aceite en un wok previamente templado. Añada la cebolla, la zanahoria y el ajo, y saltéelos a fuego vivo 3 minutos, o hasta que se empiecen a ablandar.

2 Corte el pollo en tiras. Añádalo al wok con el jengibre en polvo y el fresco. Sofríalo otros 10 minutos, o hasta que el pollo esté bien hecho y presente un color dorado.

3 Mezcle el jerez, el tomate, el azúcar, el zumo de naraja y la harina en un cuenco. Incorpore la mezcla al wok y caliéntela hasta que empiece a hervir y el zumo se espese un poco.

4 Añada los gajos de naranja y mezcle con cuidado.

5 Pase el salteado de pollo a cuencos individuales calientes y decórelos con el cebollino picado. Sírvalo inmediatamente.

# salteado de pollo con trío de pimientos

## para 4 personas

450 g de pechugas de pollo,
deshuesadas y sin piel

2 cucharadas de aceite de girasol

1 diente de ajo, majado

1 cucharada de semillas de comino

1 cucharada de jengibre, rallado

1 guindilla roja fresca, despepitada
y picada

1 pimiento rojo, cortado en tiras

1 pimiento verde, cortado en tiras

1 pimiento amarillo, cortado en tiras

100 g de brotes de soja

350 g de *pak choi* u otra verdura
de hoja verde

2 cucharadas de salsa de guindilla
dulce

3 cucharadas de salsa de soja clara

jengibre frito para decorar
(véase *Sugerencia*)

fideos recién hervidos, para acompañar

1 Corte el pollo en tiras finas con un cuchillo afilado.

2 Caliente el aceite en un wok previamente templado.

3 Añada el pollo al wok y saltéelo durante 5 minutos.

4 Incorpore el ajo, las semillas de comino, el jengibre y la guindilla, y revuelva bien todos ingredientes.

5 Añada el pimiento y saltéelo durante otros 5 minutos.

6 Incorpore los brotes de soja y el *pak choi* junto con la salsa de guindilla dulce y la salsa de soja, y cueza hasta que las hojas del *pak choi* empiecen a reblandecerse.

7 Sírvalo en cuencos decorado con jengibre (véase *Sugerencia*) y los fideos recién cocidos.

### SUGERENCIA

Para preparar el jengibre frito
de la decoración, pele y corte
en tiras finas una pieza grande de
jengibre con un cuchillo muy
afilado. Con cuidado, deposite
las tiras en un wok o en una
sartén con aceite caliente
y fríalas durante unos
30 segundos. Retire el jengibre
frito del wok con una espumadera
y déjelo escurrir bien sobre
papel de cocina.

# pollo agridulce con mango

## para 4 personas

1 cucharada de aceite de girasol

6 contramuslos de pollo, deshuesados

1 mango maduro

2 dientes de ajo, majados

225 g de puerro, en juliana

100 g de brotes de soja

150 ml de zumo de mango

1 cucharada de vinagre de vino blanco

2 cucharadas de miel clara

2 cucharadas de ketchup

1 cucharadita de harina de maíz

1 Caliente en un wok precalentado el aceite de girasol.

2 Corte el pollo en trocitos con un cuchillo afilado.

3 Añada el pollo al wok y saltéelo a fuego vivo unos 10 minutos, removiéndolo con frecuencia hasta que esté hecho por dentro y dorado por fuera.

4 Mientras, pele el mango, quítele el hueso y córtelo en rodajas.

5 Incorpore al wok el ajo, el puerro, el mango y los brotes, y sofríalos bien 2–3 minutos, o hasta que estén tiernos.

6 Mezcle el zumo de mango, el vinagre, la miel y el ketchup con la harina de maíz en un cuenco.

7 Incorpore la mezcla de zumo y harina al wok y déjela hervir durante otros 2 minutos, hasta que se espese ligeramente.

8 A continuación, disponga el pollo en una fuente caliente y sírvalo inmediatamente.

# salteado de pollo con verduras

## para 4 personas

2 cucharadas de aceite de girasol

450 g de pechugas de pollo,
deshuesadas y sin piel

2 dientes de ajo, majados

1 pimiento verde

100 g de tirabeques

6 cebolletas cortadas en rodajas,
y un poco más para adornar

225 g de una hortaliza tierna de
hoja verde o col, cortada en tiras

160 g de salsa de alubias amarillas

50 g de anacardos tostados

**1** Caliente el aceite en un wok grande precalentado.

**2** Corte el pollo en lonchas finas con un cuchillo afilado.

**3** Saltee el pollo junto con el ajo durante unos 5 minutos, o hasta que la carne esté sellada y empiece a dorarse.

**4** Con ayuda de un cuchillo afilado, quite las semillas del pimiento y córtelo en tiras finas.

**5** Incorpore los tirabeques, la cebolleta, las tiras de pimiento y la col. Saltéelo todo durante 5 minutos, o hasta que las verduras estén tiernas.

**6** Añada la salsa de alubias amarillas y deje el wok en el fuego durante 2 minutos más, o hasta que la salsa empiece a hervir.

**7** Esparza por encima los anacardos tostados y retire el wok del fuego.

**8** Disponga el salteado de pollo con verduras y salsa de alubias amarillas en platos individuales calientes; si lo desea, decórelo con la cebolleta sobrante. Sírvalo ihmediatamente.

# salteado de pollo, pimiento y naranja

## para 4 personas

3 cucharadas de aceite de girasol

350 g de contramuslos de pollo
	deshuesados y sin piel, en tiras

1 cebolla, cortada en tiras

1 diente de ajo, majado

1 pimiento rojo, cortado en rodajas

85 g de tirabeques

4 cucharadas de salsa de soja clara

4 cucharadas de jerez seco

1 cucharada de pasta de tomate

la ralladura fina y el zumo de
	1 naranja

1 cucharadita de harina de maíz

2 naranjas

100 g de brotes de soja

arroz o fideos, para acompañar

### SUGERENCIA

Los brotes de soja constituyen un
ingrediente habitual de la cocina
china. Requieren muy poca
cocción y también se pueden
consumir crudos
en ensalada.

1 Caliente el aceite en un wok
grande precalentado. Añada el
pollo y saltéelo 2–3 minutos, o hasta
que esté sellado y algo dorado.

2 Añada la cebolla, el ajo,
el pimiento y los tirabeques.
Saltéelo todo otros 5 minutos, o
hasta que las verduras empiecen a
ablandarse y el pollo esté bien hecho.

3 Mezcle la salsa de soja, el jerez, el
tomate, el zumo y la ralladura de
naranja, y la harina. Incorpore la mezcla
al wok y cueza, removiendo, hasta que
la salsa empiece a espesarse.

4 Con un cuchillo afilado, pele
las naranjas y córtelas en gajos.
Añada los gajos junto con los brotes
de soja al wok, y caliéntelo todo
durante 2 minutos.

5 Disponga el salteado en platos
individuales calientes y sírvalo
inmediatamente acompañado con
arroz o fideos cocidos.

# pollo tailandés con tomates cereza

## para 4 personas

1 cucharada de aceite de girasol

450 de pechugas de pollo,
deshuesadas y sin piel

2 dientes de ajo, majados

2 cucharadas de pasta de curry
rojo tailandés

2 cucharadas de galanga
o de jengibre, rallado

1 cucharada de pasta de tamarindo

4 hojas de lima cafre

225 g de boniatos

600 ml de leche de coco

225 g de tomates cereza

3 cucharadas de cilantro fresco

arroz jazmín o tailandés aromático

1 Caliente un wok grande, vierta el aceite y caliéntelo.

2 Corte el pollo en lonchas finas y saltéelo en el wok durante unos 5 minutos.

3 Añada el ajo, la pasta de curry, el galanga o el jengibre, el tamarindo y las hojas de lima al wok, y saltéelo todo durante 1 minuto.

4 Con un cuchillo afilado, pele el boniato y córtelo en dados.

5 Añada la leche de coco y el boniato al wok y llévelo a ebullición. Deje que hierva a fuego medio unos 20 minutos, o hasta que la salsa empiece a espesarse.

6 Incorpore los tomates cereza y el cilantro al wok, y deje cocer el curry durante otros 5 minutos, removiéndolo de vez en cuando. Disponga el guiso de pollo en platos individuales y sírvalo caliente acompañado del arroz de jazmín o del tailandés aromático.

# chop suey de pollo

## para 4 personas

4 cucharadas de salsa de soja clara

2 cucharaditas de azúcar moreno

500 g de pechugas de pollo,
   deshuesadas y sin piel

3 cucharadas de aceite vegetal

2 cebollas, en cuartos

2 dientes de ajo, majados

350 g de brotes de soja

3 cucharaditas de aceite de sésamo

1 cucharada de harina de maíz

3 cucharadas de agua

425 ml de caldo de pollo

puerro en juliana, para decorar

1 Mezcle bien el azúcar con la salsa de soja hasta que se disuelva.

2 Limpie el pollo y deseche la grasa. Córtelo en tiras finas. Disponga la carne en un recipiente llano. Con una cuchara vierta encima la mezcla de soja, removiendo el pollo para impregnarlo bien. Déjelo macerar en la nevera durante 20 minutos.

3 Caliente el aceite en un wok precalentado y saltee el pollo 2–3 minutos, o hasta que esté dorado. Añada la cebolla y el ajo, y déjelos hacerse 2 minutos. Añada los brotes y siga cociendo el guiso 4–5 minutos. Incorpore el aceite de sésamo.

4 Mezcle la harina de maíz y el agua hasta hacer una pasta cremosa. Añada el caldo y la pasta de harina de maíz al wok; llévelo a ebullición removiendo hasta que la salsa se espese. Sirva el salteado decorado con el puerro cortado en juliana.

# pollo con salsa de alubias amarillas

## para 4 personas

450 de pechugas de pollo,
   deshuesadas y sin piel

1 clara de huevo batida

1 cucharada de harina de maíz

1 cucharada vinagre de vino de arroz

1 cucharada de salsa de soja clara

1 cucharadita de azúcar caster

3 cucharadas de aceite vegetal

1 diente de ajo, majado

1 cm de jengibre fresco, rallado

1 pimento verde, cortado en dados

2 champiñones grandes, en láminas

3 cucharadas de salsa de alubias
   amarillas

tiras de pimiento amarillo o verde,
   para decorar

---

### VARIACIÓN

También se puede utilizar salsa
de alubias negras para esta
receta. Aunque le daría un
aspecto diferente, ya que ésta
es mucho más oscura, su sabor
combina muy bien con los
ingredientes de este plato.

---

1 Deseche la grasa que puedan tener las pechugas de pollo y córtelas en dados de unos 2,5 cm.

2 Mezcle la clara de huevo con la harina de maíz en un recipiente llano. Añada la carne e imprégnela bien. Déjela macerar 20 minutos.

3 Mezcle el vinagre, la salsa de soja y el azúcar caster en un cuenco.

4 Retire el pollo de la mezcla de huevo.

5 Caliente el aceite en un wok precalentado. Añada el pollo y saltéelo 3–4 minutos, o hasta que esté dorado. Saque el pollo del wok con una espumadera, déjelo escurrir sobre papel de cocina y manténgalo caliente.

6 Añada el ajo, el jengibre, el pimiento y los champiñones al wok y saltéelo todo 1–2 minutos.

7 Añada la salsa de alubias al wok y cueza 1 minuto. Incorpore el vinagre y el pollo. Déjelo cocer 1–2 minutos y sírvalo caliente, adornado con la tiras de pimiento.

# pollo con alubias de careta

## para 4 personas

225 g de alubias de careta, a remojo
toda la noche y escurridas

1 cucharadita de sal

2 cebollas, picadas

2 dientes de ajo, majados

1 cucharadita de cúrcuma molida

1 cucharadita de comino molido

1,25 kg de pollo, cortado
en 8 trozos

1 pimiento verde, despepitado
y picado

2 cucharadas de aceite vegetal

2,5 cm de jengibre, rallado

2 cucharaditas de semillas
de cilantro

½ cucharadita de semillas de hinojo

2 cucharaditas de garam masala

1 cucharada de cilantro picado,
para decorar

1 Disponga las alubias en un wok
o una sartén con la sal, la cebolla,
el ajo, la cúrcuma y el comino. Cubra
todo con agua, llévelo a ebullición y
déjelo cocer durante 15 minutos.

2 Añada el pollo y el pimiento al
wok, y lleve el guiso a ebullición
de nuevo. Reduzca el fuego y déjelo
cocer unos 30 minutos, hasta que
las alubias estén tiernas y el pollo
desprenda un jugo claro al pinchar
las partes más gruesas con un cuchillo.

3 Caliente el aceite en un wok o
en una sartén, y fría el jengibre
y todas las semillas unos 30 segundos.

4 Añada las especias y el garam
masala al pollo. Deje cocer
el guiso suavemente otros 5 minutos,
adórnelo con cilantro picado y sírvalo
inmediatamente.

# pollo al ajillo con especias

## para 4 personas

4 dientes de ajo, picados

4 chalotes, picados

2 guindillas rojas frescas, picadas

1 tallo de hierba de limón, picado

1 cucharada de cilantro, picado

1 cucharadita de pasta de gambas

½ cucharadita de canela molida

1 cucharada de pasta de tamarindo

2 cucharadas de aceite vegetal

8 muslos o contramuslos de pollo

300 ml de caldo de pollo

1 cucharada de salsa de pescado
   tailandesa

1 cucharada de mantequilla de
   cacahuete cremosa

4 cucharadas de cacahuetes
   tostados, picados

sal y pimienta

PARA ACOMPAÑAR:

verdura salteada y fideos cocidos

1 Disponga el ajo, el chalote, la guindilla, la hierba de limón, el cilantro y la pasta de gambas en un mortero y májelos bien hasta formar una pasta cremosa. Añada después la canela y el tamarindo.

2 Caliente el aceite en un wok previamente calentado. Incorpore el pollo y saltéelo removiéndolo hasta que esté dorado. Retírelo con una espumadera y manténgalo caliente. Deseche la grasa.

3 Añada luego la pasta de ajo al wok y cuézala a fuego medio removiéndola constantemente hasta que se vuelva dorada. Incorpore entonces el caldo y luego el pollo.

4 Lleve el guiso a ebullición, tápelo, baje el fuego y deje que hierva suavemente removiéndolo durante 25–30 minutos, o hasta que el pollo esté tierno. Añada la salsa de pescado y la mantequilla de cacahuete, y deje que siga hirviendo otros 10 minutos.

5 Salpimente al gusto y esparza por encima del pollo los cacahuetes picados. Sirva el guiso inmediatamente acompañado con un salteado de verduras de diferentes colores y fideos recién hervidos.

55

# pollo con limón y semillas de sésamo

## para 4 personas

4 pechugas de pollo, deshuesadas

1 clara de huevo

25 g de semillas de sésamo

2 cucharadas de aceite vegetal

1 cebolla, cortada en tiras

1 cucharada de azúcar de Demerara

la ralladura fina y el zumo de

    1 limón

3 cucharadas de cuajada de limón

200 g de castañas de agua en

    conserva

ralladura de limón, para decorar

arroz recién cocido, para acompañar

### SUGERENCIA

Las castañas de agua se suelen añadir a algunos platos chinos por su crujiente textura, ya que su sabor resulta bastante insípido.

1 Disponga las pechugas de pollo entre 2 capas de plástico de cocina y aplánelas con un rodillo. Luego corte la carne en tiras.

2 Bata la clara de huevo hasta que quede ligera y esponjosa.

3 Bañe la tiras de carne en la clara, y luego rebócelas bien con las semillas de sésamo.

4 Caliente un wok grande. Vierta el aceite en él y caliéntelo.

5 Añada la cebolla y sofríala hasta que se empiece a ablandar.

6 Incorpore luego el pollo rebozado al wok y continúe sofriendo durante 5 minutos, o hasta que la carne tome un color dorado.

7 Mezcle el azúcar, la ralladura y el zumo de limón y la cuajada, e incorpore la mezcla al wok. Deje que la salsa hierva brevemente sin removerla.

8 Escurra las castañas y córtelas en rodajas finas con un cuchillo afilado. Añádalas al wok y caliente el guiso 2 minutos más. Páselo a cuencos individuales, decórelo con ralladura de limón y sírvalo caliente con arroz.

# pollo con anacardos y salsa de alubias

## para 4 personas

450 g de pechugas de pollo,
   deshuesadas y sin piel

2 cucharadas de aceite vegetal

1 cebolla roja, cortada en rodajas

175 g de champiñones, en láminas

100 g de anacardos

75 g de salsa de alubias amarillas

cilantro freco, para decorar

arroz frito con huevo, para servir

### SUGERENCIA

Para un plato algo más económico, se pueden utilizar muslos de pollo deshuesados.

1 Con un cuchillo afilado, retire los restos de piel y de grasa del pollo. Corte la carne en trozos pequeños.

2 Caliente un wok grande, luego vierta el aceite en él y caliéntelo.

3 Incorpore los trozos de pollo al wok y saltéelos a fuego medio durante 5 minutos.

4 Añada la cebolla roja y los champiñones, y continúe sofriendo otros 5 minutos.

5 Disponga los anacardos en una bandeja de hornear y tuéstelos bajo el grill precalentado para que se doren y desprendan todo su sabor.

6 Incorpore los anacardos al wok junto con la salsa de alubias amarillas. Deje que la salsa hierva durante 2–3 minutos.

7 Pase el salteado a cuencos individuales templados y decórelo con cilantro fresco. Sírvalo enseguida acompañado de arroz frito con huevo.

# pollo a la pimienta con arvejas

## para 4 personas

2 cucharadas de ketchup

2 cucharadas de salsa de soja clara

450 g de pechugas de pollo,
   sin piel y deshuesadas

2 cucharadas de pimienta, majada

2 cucharadas de aceite de girasol

1 pimiento rojo

1 pimento verde

175 g de arvejas

2 cucharadas de salsa de ostras

### VARIACIÓN

Si lo desea, puede utilizar
tirabeques en lugar de arvejas.

**1** Mezcle el ketchup con la salsa de soja en un cuenco.

**2** Con un cuchillo bien afilado, corte el pollo en tiras finas. Incorpore luego la carne a la salsa de ketchup y soja.

**3** Disponga los granos de pimienta majados en un plato llano. Reboce bien la carne de pollo con la pimienta.

**4** Caliente un wok, vierta el aceite en él y caliéntelo.

**5** Incorpore el pollo y saltéelo durante 5 minutos.

**6** Despepite y corte los dos pimientos en tiras.

**7** Incorpore al wok el pimiento y las arvejas, y sofríalo todo durante otros 5 minutos.

**8** Añada la salsa de ostras y deje hervir 2 minutos. Sírvalo enseguida en cuencos individuales.

# pollo a la miel con brotes de soja

## para 4 personas

2 cucharadas de miel

3 cucharadas de salsa de soja clara

1 cucharadita de mezcla china
   de 5 especias

1 cucharada de jerez dulce

1 diente de ajo, majado

8 contramuslos de pollo

1 cucharada de aceite de girasol

1 guindilla fresca roja

100 g de mazorquitas de maíz

8 cebolletas, en rodajitas

150 g de brotes de soja

### SUGERENCIA

La mezcla china de 5 especias se
vende en los supermercados
orientales y está compuesta
por varias especias aromáticas.

1 En un cuenco grande, mezcle la
miel, la salsa de soja, la mezcla
china de 5 especias, el jerez y el ajo.

2 Con un cuhillo afilado, haga
3 incisiones en la piel de cada
muslo de pollo. Píntelos con el adobo
de miel, cúbralos y déjelos macerar
al menos durante 30 minutos.

3 Caliente un wok, vierta el aceite
de girasol en él y caliéntelo.

4 Disponga el pollo en el wok y
saltéelo a fuego vivo durante
12–15 minutos, dándole la vuelta a
menudo, o hasta que tome un aspecto
dorado y crujiente. Saque los muslos
del wok con una espumadera.

5 Con un cuchillo afilado, despepite
y pique muy fina la guindilla.

6 A continuación, añada la guindilla,
las mazorquitas cortadas por la
mitad, la cebolleta y los brotes al wok,
y saltéelo todo durante 5 minutos.

7 Vuelva a poner el pollo en el wok.
Mezcle y caliente bien todos los
ingredientes.

8 Reparta el guiso en platos
individuales y sírvalo enseguida.

# pollo con guindilla y albahaca crujiente

## para 4 personas

8 muslos de pollo

2 cucharadas de salsa de soja

1 cucharada de aceite de girasol

1 guindilla roja fresca

100 g de zanahorias, en juliana fina

6 tallos de apio, en juliana fina

3 cucharadas de salsa de guindilla
   dulce

aceite, para freír

unas 50 hojas de albahaca fresca

fideos recién cocidos, para acompañar

1 Deseche la piel de los muslos de pollo si lo desea. Haga 3 hendiduras en cada uno. Píntelos con la salsa de soja.

2 Caliente un wok, añada el aceite de girasol y caliéntelo. Fría los muslos unos 20 minutos, dándoles la vuelta con frecuencia, hasta que estén hechos por dentro y dorados por fuera.

3 Despepite y pique bien la guindilla. Añádala al wok con la zanahoria y el apio, y deje que se haga durante 5 minutos. Incorpore luego la salsa de guindilla, tápelo y deje que hierva mientras prepara la albahaca.

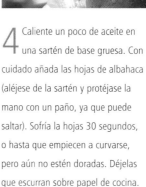

4 Caliente un poco de aceite en una sartén de base gruesa. Con cuidado añada las hojas de albahaca (aléjese de la sartén y protéjase la mano con un paño, ya que puede saltar). Sofría las hojas 30 segundos, o hasta que empiecen a curvarse, pero aún no estén doradas. Déjelas que escurran sobre papel de cocina.

5 Coloque el pollo, la verdura y la salsa resultante en una fuente caliente, decore el salteado con las hojas de albahaca crujientes y sírvalo inmediatamente acompañado con arroz recién cocido.

# pollo al ajillo con cilantro y lima

## para 4 personas

4 pechugas de pollo, deshuesadas
   y sin piel
50 g de mantequilla al ajo
3 cucharadas de cilantro, picado
1 cucharada de aceite de girasol
la ralladura fina y el zumo
   de 2 limas
25 g de azúcar de palma
   o de Demerara
cilantro fresco, para decorar
arroz hervido, para acompañar

1 Ponga cada pechuga entre
   2 capas de plástico de cocina
y aplástelas con el rodillo hasta
que tengan un grosor de 1 cm.

2 Mezcle la mantequilla al ajo y
   el cilantro, y extienda la mezcla
sobre las pechugas. Enróllelas sobre
sí mismas y sujételas con palillos.

3 Caliente el aceite en un wok,
   añada los rollos de carne y
sofríalos, dándoles la vuelta con
frecuencia, 15–20 minutos, o hasta
que estén hechos.

4 Retire el pollo del wok y páselo
   a una fuente. Corte los rollos
en rodajas.

5 Añada la ralladura y el zumo
   de lima junto con el azúcar, y
caliente la mezcla removiéndola hasta
disolver el azúcar. Suba el fuego y deje
que hierva unos 2 minutos.

6 Disponga el pollo en platos
   individuales calientes y cúbralo
con cucharadas de la salsa.

7 Decore los platos con cilantro y
   sírvalos con arroz recién hervido.

# salteado de pollo tailandés

## para 4 personas

3 cucharadas de aceite de cacahuete

350 g de pechugas de pollo,
   deshuesadas y sin piel, en tiras

8 chalotes, en rodajas

2 dientes de ajo, muy picados

2 cucharaditas de jengibre, rallado

1 guindilla verde fresca,
   despepitada y muy picada

1 pimiento verde, despepitado
   y cortado en rodajas finas

1 pimiento rojo, despepitado
   y cortado en rodajas finas

3 calabacines, en rodajas finas

2 cucharadas de almendras molidas

1 cucharadita de canela molida

1 cucharada de salsa de ostras

20 g de coco cremoso, rallado

sal y pimienta

1 Caliente un wok o una sartén de base gruesa, vierta el aceite y caliéntelo. Añada el pollo, salpimente y saltéelo a fuego medio durante unos 4 minutos.

2 Incorpore al wok el chalote, el ajo, el jengibre y la guindilla verde fresca, y sofríalo todo durante otros 2 minutos.

3 Añada el pimiento y el calabacín, y siga salteándolo todo durante 1 minuto.

4 Añada las almendras, la canela, la salsa de ostras y el coco cremoso, y rectifique de sal y pimienta. Saltéelo todo durante 1 minuto más y sírvalo inmediatamente.

### SUGERENCIA

El coco cremoso se vende en forma de bloques en los comercios orientales. Conviene tenerlo siempre en la despensa, porque intensifica el sabor de los platos.

# salteado de pollo y maíz

## para 4 personas

4 pechugas de pollo, deshuesadas
   y sin piel
250 g de mazorquitas de maíz
250 g de tirabeques
2 cucharadas de aceite de girasol
1 cucharada de vinagre de jerez
1 cucharada de miel clara
1 cucharada de salsa de soja clara
1 cucharada de pipas de girasol
pimienta
arroz o fideos hervidos, para sevir

### VARIACIÓN

El vinagre de jerez se puede
sustituir por vinagre de arroz
o vinagre balsámico.

1 Con un cuchillo afilado, corte
el pollo en tiras largas y finas.

2 Corte las mazorquitas por la
mitad a lo largo o en rodajas
en diagonal. Lave los tirabeques y
deseche las puntas duras.

3 Caliente un wok, vierta el aceite
de girasol en él y caliéntelo.

4 Añada el pollo y saltéelo a fuego
vivo durante 1 minuto.

5 Añada el maíz y los tirabeques,
y siga salteando a fuego medio
otros 5–8 minutos hasta que se
termine de hacer. La verdura debe
quedar ligeramente crujiente.

6 Mezcle el vinagre de jerez, la miel
y la salsa de soja en un cuenco.

7 Añada la mezcla al wok con
las pipas de girasol peladas.

8 Salpimente. Déjelo cocer durante
1 minuto más, removiéndolo bien.

9 Sirva de inmediato el salteado
de pollo y maíz, acompañado
de arroz o fideos al huevo hervidos.

# pollo con cilantro y especias a la tailandesa

## para 4 personas

- 4 pechugas de pollo, deshuesadas y sin piel
- 2 dientes de ajo, pelados
- 1 guindilla verde fresca, despepitada
- 2 cm de jengibre fresco
- 4 cucharadas de cilantro fresco, picado
- la ralladura fina de 1 lima
- 3 cucharadas de zumo de lima
- 2 cucharadas de salsa de soja clara
- 1 cucharada de azúcar caster
- 175 ml de leche de coco

PARA ACOMPAÑAR:

- arroz hervido
- ensalada de pepino y rábanos

1 Con un cuchillo afilado, haga 3 hendiduras en la parte exterior de cada pechuga. Coloque la carne en una sola capa en una bandeja ancha que no sea metálica.

2 Ponga el ajo, la guindilla, el jengibre, la ralladura y el zumo de lima, la salsa de soja, el azúcar caster y la leche de coco en un robot de cocina y bátalos hasta obtener un puré cremoso.

3 Reboce bien cada pechuga por los dos lados con el puré. Cubra la bandeja con plástico de cocina y déjela macerar en el frigorífico durante al menos 1 hora.

4 Saque la carne de pollo del adobo, escúrrala bien y colóquela sobre una parrilla. Ásela luego bajo el grill, previamente calentado, durante 12–15 minutos, hasta que esté hecha.

5 Mientras, coloque el resto del adobo en un wok o un cazo y llévelo a ebullición. Reduzca el fuego y deje que hierva suavemente durante 3–5 minutos para que se caliente bien. Luego, retire el wok del fuego.

6 Disponga el pollo en platos individuales calientes y cúbralo con la salsa. Sírvalo inmediatamente acompañado de arroz hervido y ensalada de pepino y rábanos.

# salteado de pollo y mango

## para 4 personas

6 contramuslos de pollo, deshuesados

2 cucharaditas de jengibre, rallado

1 diente de ajo, majado

1 guindilla roja fresca, despepitada

1 pimiento rojo grande, despepitado

4 cebolletas

200 g de tirabeques

100 g de mazorquitas de maíz

1 mango grande maduro

2 cucharadas de aceite de girasol

1 cucharada de salsa de soja clara

3 cucharadas de vino de arroz
    o jerez seco

1 cucharadita de aceite de sésamo

sal y pimienta

cebollino picado, para decorar

1 Corte el pollo en tiras largas y finas, y dispóngalas en un cuenco. Mezcle el jengibre, el ajo y la guindilla. Vierta la mezcla sobre el pollo e imprégnelo bien.

2 Corte el pimiento y las cebolletas en rodajas finas diagonales. Corte los tirabeques y las mazorquitas por la mitad en diagonal. Pele el mango, quítele el hueso y córtelo en daditos.

3 Caliente un wok, vierta el aceite de girasol en él, y caliéntelo. Añada la carne y sofríala a fuego vivo durante 4–5 minutos, hasta que quede sellada y adquiera un tono dorado. Añada las rodajas de pimiento y saltéelas a fuego medio durante 4–5 minutos, hasta que se ablanden.

4 Añada la cebolleta, los tirabeques y las mazorquitas, y sofríalo todo otro minuto.

5 Mezcle la salsa de soja, el vino de arroz o el jerez y el aceite de sésamo, e incorpórelos al wok. Añada el mango y remuévalo con suavidad 1 minuto para calentarlo.

6 Salpimente el salteado, decórelo con el cebollino picado y sírvalo inmediatamente.

# pato con maíz tierno y piña

## para 4 personas

4 pechugas de pato

1 cucharadita de mezcla china
de 5 especias

1 cucharada de harina de maíz

1 cucharada de aceite de guindilla

225 g de cebollitas, peladas

2 dientes de ajo, majados

100 g de mazorquitas de maíz

175 g de piña en conserva, troceada

6 cebolletas, en rodajas

100 g de brotes de soja

2 cucharadas de salsa de ciruelas

1 Deseche la piel de las pechugas. Córtelas en rodajas finas.

2 En un cuenco, junte la mezcla china de 5 especias con la harina de maíz. Reboce bien las rodajas de pato con la mixtura.

3 Caliente el aceite en un wok precalentado, y saltee los trozos de pato durante 10 minutos, o hasta que comiencen a dorarse por los bordes. Retírelos del wok con una espumadera y manténgalos caliente.

4 Añada las cebollitas y el ajo al wok, y sofríalos 5 minutos, o hasta que estén tiernos. Añada las mazorquitas y saltéelas otros 5 minutos. Incorpore la piña, la cebolleta y los brotes de soja, y sofríalo 3–4 minutos más. Al final, vierta la salsa de ciruelas.

5 Vuelva a poner el pato en el wok y remueva para mezclarlo bien. Páselo a una fuente caliente y sírvalo.

# pato al jengibre con arroz

## para 4 personas

2 pechugas de pato, cortadas
en lonchas finas diagonales
2–3 cucharadas de salsa de soja
japonesa
1 cucharada de *mirin* o de jerez
2 cucharaditas de azúcar moreno
5 cm de jengibre, rallado
4 cucharadas de aceite de
cacahuete
2 dientes de ajo, majados
300 g de arroz de grano largo
blanco o integral
850 ml de caldo de pollo
115 g de jamón cocido, en tiras
175 g de tirabeques, cortados
por la mitad en diagonal
40 g de brotes de soja
8 cebolletas, cortadas en rodajas
diagonales finas
2–3 cucharadas de cilantro, picado
salsa de guindilla dulce o picante

2 Caliente 2–3 cucharadas de
aceite de cacahuete en una sartén
de base gruesa a fuego medio. Añada
el ajo y la mitad del jengibre restante,
y sofríalos 1 minuto, o hasta que
desprendan su aroma. Incorpore el
arroz y sofríalo 3 minutos, removiendo,
o hasta que adquiera algo de color.

3 Añada 700 ml de caldo y una
cucharada de salsa de soja,
y llévelo a ebullición. Tape la sartén y
déjelo cocer 20 minutos a fuego lento,
hasta que el arroz quede tierno y sin
caldo. No destape la sartén pero
retírela del fuego y resérvela.

4 Caliente el aceite restante en un
wok grande. Escurra el pato y
saltéelo 3 minutos, hasta que empiece
a tomar color. Añada 1 cucharada de
la salsa de soja y el resto del azúcar,
y déjelo al fuego 1 minuto. Retírelo
del wok y resérvelo caliente.

5 Incorpore los tirabeques, el jamón,
los brotes, las cebolletas, el resto
del jengibre y más o menos la mitad
del cilantro. Añada 125 ml del caldo
y cueza 1 minuto hasta que la salsa se
haya reducido completamente. Incorpore
el arroz y remuévalo bien. Añada un
chorrito de salsa de guindilla si lo desea.

6 Sírvalo en una fuente con el pato
dispuesto por encima y decorado
con el resto del cilantro.

1 Disponga las lonchas de pato
en un recipiente llano con una
cucharada de salsa de soja, el *mirin*, la
mitad del azúcar y un tercio del jengibre.
Remuévalo para impregnar la carne y
déjela macerar a temperatura ambiente.

# pato con mango

## para 4 personas

2 mangos maduros

300 ml de caldo de pollo

2 dientes de ajo, majados

1 cucharadita de jengibre, rallado

2 pechugas de pato, sin piel,
   de unos 225 g cada una

3 cucharadas de aceite vegetal

1 cucharadita de vinagre de vino

1 cucharadita de salsa de soja clara

1 puerro, cortado en rodajas

perejil fresco picado, para decorar

**1** Pele los mangos y córtelos por la mitad alrededor del hueso. Corte la carne en tiras.

**2** Ponga la mitad del mango y el caldo en un robot de cocina y bátalos hasta obtener una pasta. También puede pasar el mango por un chino, apretándolo con el dorso de una cuchara, y luego mezclarlo con el caldo.

**3** Frote las pechugas con el ajo y el jengibre. Caliente un wok, vierta el aceite en él y saltee la carne, dándole la vuelta a menudo, hasta que quede sellada. Saque el pato y reserve el aceite en el wok .

**4** Disponga las pechugas en una parrilla colocada sobre una bandeja de hornear, y áselas en el horno precalentado unos 20 minutos a 220 °C , o hasta que estén hechas.

**5** Mientras, coloque la mezcla de mango y el caldo de pollo en una olla, y añada el vinagre de vino y la salsa de soja clara.

**6** Lleve la mezcla a ebullición y déjela cocer a fuego vivo, removiendo constantemente, hasta que se reduzca a la mitad.

**7** Caliente el aceite reservado en el wok, y sofría el puerro y el mango sobrante 1 minuto. Pase el sofrito a una fuente y resérvelo caliente.

**8** Corte las pechugas en trozos similares y dispóngalos sobre una cama de puerro y mango. Cubra la carne con la salsa, decórela con perejil picado y sírvala inmediatamente.

# pato crujiente con fideos y tamarindo

### para 4 personas

3 pechugas de pato (unos 400 g)

2 dientes de ajo, majados

1½ cucharaditas de pasta de guindilla

1 cucharada de miel clara

3 cucharadas de salsa de soja oscura

½ cucharadita de mezcla china
   de 5 especias

250 g de fideos de arroz

1 cucharadita de aceite vegetal

1 cucharadita de aceite de sésamo

2 cebolletas, cortadas en rodajas

100 g de tirabeques

2 cucharadas de zumo de tamarindo

semillas de sésamo, para decorar

1 Pinche varias veces la piel de las pechugas con un tenedor y dispóngalas en una fuente llana.

2 Mezcle el ajo, la guindilla, la miel, la salsa de soja y la mezcla china de 5 especias, y luego vierta el adobo sobre el pato. Impregne bien la carne, cúbrala con plástico de cocina y déjela macerar en la nevera al menos 1 hora.

3 Mientras, ponga a remojo en agua caliente los fideos de arroz durante 15 minutos, o según indiquen las instrucciones del envase. Escúrralos bien.

4 Escurra también el pato y áselo bajo el grill durante 10 minutos, o hasta que tome un color dorado; déle la vuelta de vez en cuando. A continuación, sáquelo del horno, dispóngalo sobre una tabla y córtelo en rodajas finas.

5 Caliente el aceite de sésamo y el vegetal en un wok precalentado, y sofría la cebolleta y los tirabeques 2 minutos. Añada el adobo y el zumo de tamarindo, y llévelo a ebullición.

6 Añada el pato cortado en rodajas y los fideos, y remueva para calentarlo bien. Dispóngalo en platos individuales y sírvalo decorado con las semillas de sésamo.

# pato hoisin con puerro y col salteada

## para 4 personas

4 pechugas de pato

350 g de col verde

225 g de puerros, en rodajas

la ralladura fina de 1 naranja

6 cucharadas de salsa de ostras

1 cucharadita de semillas de
   sésamo tostadas, para servir

1 Caliente un wok grande y saltée las pechugas con piel 5 minutos por cada lado. (Puede que tenga que hacerlo en varias tandas.)

2 Retire la carne del wok y dispóngala sobre una tabla.

3 Con un cuchillo afilado, corte con cuidado las pechugas de pato en tajadas finas.

4 Retire y deseche toda la grasa que haya quedado en el wok después de sofreír el pato, excepto 1 cucharada.

5 Con un cuchillo afilado, corte en tiras finas la col.

6 Añada el puerro, la col y la ralladura de naranja al wok, y sofríalo todo unos 5 minutos, o hasta que la verdura esté tierna.

7 Vuelva a poner el pato en el wok y caliéntelo bien 2–3 minutos.

8 Vierta la salsa de ostras en el wok y revuelva bien todos los ingredientes hasta calentarlos uniformemente.

9 Esparza por encima las semillas tostadas, pase el pato a una bandeja templada y sírvalo caliente.

**1**

**3**

**5**

# salteado de pavo glaseado con arándanos

## para 4 personas

450 g de pechugas de pavo

2 cucharadas de aceite de girasol

15 g de jengibre encurtido

50 g de arándanos frescos
o congelados

100 g de castañas de agua de lata

4 cucharadas de salsa de arándanos

3 cucharadas de salsa de soja clara

sal y pimienta

### SUGERENCIA

Es importante que el wok esté
muy caliente antes de saltear.
Para asegurarse extienda
la mano a unos 7 cm de
la base. Desde esa distancia
debería percibirse la
radiación de calor.

1 Quite la piel de las pechugas.
Con un cuchillo afilado,
córtelas en tajadas finas.

2 Caliente un wok o una sartén
de base gruesa, vierta el aceite
de girasol y caliéntelo.

3 Incorpore el pavo al wok o
en la sartén y saltéelo durante
5 minutos, o hasta que esté hecho.

4 Escurra bien todo el sirope del
jengibre encurtido y píquelo
muy fino.

5 Añada el jengibre y los arándanos
al wok o a la sartén, y sofríalos
2–3 minutos, o hasta que los
arándanos se ablanden.

6 Incorpore las castañas de agua y
las salsas de arándanos y de soja,
salpimente el guiso y deje que hierva
durante 2–3 minutos.

7 Pase el salteado de pavo
glaseado a platos individuales
templados y sírvalo inmediatamente.

# buey con brotes de bambú y tirabeques

## para 4 personas

350 g de carne magra de buey

3 cucharadas de salsa de soja oscura

1 cucharada de ketchup

2 dientes de ajo, majados

1 cucharada de zumo de limón

1 cucharadita de cilantro molido

2 cucharadas de aceite vegetal

175 g de tirabeques

200 g de brotes de bambú, lavados
y escurridos

1 cucharadita de aceite de sésamo

1 Corte la carne de buey en tajadas pequeñas. Dispóngalas en una fuente que no sea metálica junto con la salsa de soja, el ketchup, el ajo, el zumo de limón y el cilantro molido. Impregne bien la carne con el adobo. Cúbrala con plástico de cocina y déjela macerar al menos 1 hora.

2 Caliente un wok, vierta en él el aceite vegetal y caliéntelo. Añada la carne y saltéela unos 2–4 minutos, hasta que esté hecha, dependiendo de cómo le guste.

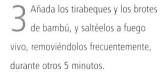

3 Añada los tirabeques y los brotes de bambú, y saltéelos a fuego vivo, removiéndolos frecuentemente, durante otros 5 minutos.

4 Añada el aceite de sésamo y mézclelo bien. Sirva el salteado caliente en platos individuales.

# ensalada picante de buey salteado

## para 4 personas

450 g de carne magra de buey

2 dientes de ajo, majados

1 cucharadita de guindilla en polvo

½ cucharadita de sal

1 cucharadita de cilantro molido

1 aguacate maduro

2 cucharadas de aceite de girasol

425 g de alubias rojas en conserva, escurridas

175 g de tomates cereza

1 paquete grande de nachos

lechuga iceberg, picada

cilantro fresco picado, para servir

1 Con un cuchillo afilado, corte la carne en tiras finas.

2 Disponga el ajo, la guindilla, la sal y el cilantro en un cuenco grande. Remueva luego todos los ingredientes para mezclarlos bien.

3 Añada las tiras de carne al adobo y remuévalas para impregnarlas bien.

4 Con un cuchillo afilado, pele el aguacate. Pártalo por la mitad a lo largo, saque y deseche el hueso, y córtelo en dados pequeños.

5 Caliente un wok grande, vierta el aceite y caliéntelo. Añada la carne y saltéela 5 minutos, removiéndola.

6 Añada las alubias, el tomate partido por la mitad y el aguacate, y caliéntelo todo otros 2 minutos.

7 Disponga los nachos y la lechuga alrededor del borde de una fuente y, con una cuchara, coloque la carne en el centro. También puede servir los nachos y la lechuga por separado.

8 Adorne la ensalada con el cilantro picado y sírvala inmediatamente.

# buey con judías verdes

## para 4 personas

450 g de carne magra de buey,
  cortada en trozos de 2,5 cm

ADOBO:

2 cucharaditas de harina de maíz

2 cucharadas de salsa de soja oscura

2 cucharaditas de aceite de cacahuete

SALSA:

2 cucharadas de aceite vegetal

3 dientes de ajo, majados

1 cebolla pequeña, en 8 trozos

225 g de judías verdes, troceadas

25 g de anacardos sin sal

25 g de brotes de bambú en
  conserva, lavados y escurridos

2 cucharaditas de salsa de soja oscura

2 cucharaditas de vino de arroz
  chino o jerez seco

125 ml de caldo de carne de buey

2 cucharaditas de harina de maíz

4 cucharaditas de agua

sal y pimienta

1 Para hacer el adobo mezcle la harina de maíz, la salsa de soja y el aceite de cacahuete.

2 Disponga la carne en un cuenco de cristal. Vierta el adobo por encima e impregne bien la carne. Cúbrala y deje que macere en la nevera al menos 30 minutos.

3 Para hacer la salsa, caliente el aceite en un wok. Añada el ajo, la cebolla, las judías, los anacardos y el bambú. Saltéelo 2–3 minutos.

4 Saque la carne del adobo. Escúrrala y añádala al wok. Sofríala durante 3–4 minutos.

5 Mezcle la salsa de soja, el vino de arroz chino o el jerez y el caldo. Disuelva la harina de maíz en el agua y añada la pasta a la salsa de soja. Remueva bien para mezclarlo todo.

6 Incorpore la mezcla al wok y lleve la salsa a ebullición, removiéndola hasta que se espese. Reduzca el fuego y déjelo hervir 2–3 minutos. Salpimente al gusto y sírvalo inmediatamente.

# buey con verduras al jerez y salsa de soja

## para 4 personas

2 cucharadas de aceite de girasol

350 g de filetes de buey, en tiras

1 cebolla roja, en rodajas

175 g de calabacines

175 g de zanahorias, en rodajitas

1 pimiento rojo, despepitado
   y en tiras

1 col china pequeña, troceada

150 g de brotes de soja

225 g de brotes de bambú en
   conserva, lavados y escurridos

150 g de anacardos, tostados

SALSA:

3 cucharadas de jerez medio

3 cucharadas de salsa de soja clara

1 cucharadita de jengibre molido

1 diente de ajo, majado

1 cucharadita de harina de maíz

1 cucharada de pasta de tomate

1 Caliente un wok grande, vierta en él el aceite de girasol y caliéntelo. Añada al wok la carne en tiras y la cebolla, y saltéelas unos 4–5 minutos, o hasta que la cebolla empiece a ablandarse y la carne se dore un poco.

2 Lave los calabacines y córtelos en diagonal, en rodajas finas.

3 Añada la zanahoria, el pimiento y el calabacín al wok, y sofría los ingredientes durante 5 minutos.

4 Incorpore la col china, los brotes de soja y de bambú, y caliéntelo todo unos 2–3 minutos, o hasta que la col empiece a ablandarse.

5 Esparza los anacardos sobre el salteado. Revuelva todos los ingredientes para mezclarlos.

6 Para hacer la salsa, mezcle bien el jerez, la salsa de soja, el jengibre molido, el ajo, la harina de maíz y la pasta de tomate.

7 Vierta la salsa sobre el salteado y remuévalo bien. Deje que la salsa hierva 2–3 minutos, o hasta que empiece a espesarse.

8 Pase el buey a una fuente caliente y sírvalo enseguida.

# buey con pimiento a la hierba de limón

## para 4 personas

500 g de filetes de buey

2 cucharadas de aceite vegetal

1 diente de ajo, muy picado

1 tallo de hierba de limón, picado

2 cucharaditas de jengibre, rallado

1 pimiento rojo, despepitado
  y cortado en rodajas gruesas

1 pimiento verde, despepitado
  y cortado en rodajas gruesas

1 cebolla, en rodajas gruesas

2 cucharadas de zumo de lima

sal y pimienta

fideos o arroz hervido, para
  acompañar

1 Si tiene tiempo, coloque la carne en el congelador 30 minutos antes. Así quedará firme para cortarla muy fina. Corte los filetes en tiras largas y delgadas siguiendo la veta.

2 Caliente un wok grande o una sartén, vierta el aceite y caliéntelo a fuego vivo. Incorpore el ajo y sofríalo durante 1 minuto.

3 Añada la carne y saltéela durante otros 2–3 minutos, o hasta que tome color. Incorpore la hierba de limón y el jengibre, y retire el wok o la sartén del fuego.

4 Saque la carne del wok o de la sartén con una espumadera y manténgala caliente. Añada el pimiento y la cebolla al wok o a la sartén, y sofríalos 2–3 minutos, hasta que la cebolla empiece a dorarse y ablandarse ligeramente.

5 Vuelva a poner la carne en el wok o en la sartén, añada el zumo de lima y salpimente al gusto. Sirva el salteado inmediatamente acompañado de fideos o de arroz.

# buey al ajillo con sésamo y salsa de soja

## para 4 personas

2 cucharadas de semillas de sésamo

450 g de filetes de buey

2 cucharadas de aceite vegetal

1 pimiento verde, en tiras finas

4 dientes de ajo, majados

2 cucharadas de jerez seco

4 cucharadas de salsa de
   soja oscura

6 cebolletas, en rodajas

fideos cocidos, para acompañar

### SUGERENCIA

También puede disponer las
semillas de sésamo en una
bandeja de hornear y tostarlas
bajo el grill precalentado hasta
que queden doradas.

1 Caliente bien a fuego vivo un
wok grande o una sartén de
base gruesa.

2 Añada las semillas de sésamo y
tuéstelas durante 1–2 minutos,
o hasta que empiecen a dorarse
y a desprender su aroma. Retírelas
del wok y resérvelas.

3 Con un cuchillo bien afilado o de
carnicero, corte la carne de buey
en rodajas muy finas.

4 Caliente el aceite en el wok o
en la sartén. Añada la carne y
saltéela 2–3 minutos, o hasta que
quede bien sellada.

5 Añada el pimiento en rodajas y
el ajo majado, y siga sofriendo
todo durante 2 minutos.

6 Incorpore el jerez y la salsa
de soja, junto con la cebolleta.
Deje que la salsa hierva ligeramente,
removiéndola de vez en cuando
durante 1 minuto, con cuidado para
que no se agarre.

7 Disponga la carne en cuencos
individuales calientes y esparza
las semillas de sésamo por encima.
Sirva el salteado caliente con fideos.

# salteado de buey con brotes de soja

## para 4 personas

1 manojo de cebolletas, cortadas
   en juliana fina

2 cucharadas de aceite de girasol

1 diente de ajo, majado

1 cucharadita de jengibre picado

500 g de filetes de buey, cortados
   en tiras finas

1 pimiento rojo grande,
   despepitado y en rodajas

1 guindilla pequeña roja y fresca,
   despepitada y picada

350 g de brotes de soja

1 tallo de hierba de limón,
   picado fino

2 cucharadas de mantequilla
   de cacahuete

4 cucharadas de leche de coco

1 cucharada de vinagre de arroz

1 cucharada de salsa de soja

1 cucharadita de azúcar moreno

250 g de fideos al huevo

sal y pimienta

**1** Reserve un poco de la juliana de cebolleta para decorar. Caliente el aceite en un wok o una sartén precalentados a fuego vivo. Añada el resto de la cebolleta, el ajo y el jengibre, y remueva 2–3 minutos,

hasta que se ablanden. Añada las tiras de carne, y saltéelas 4–5 minutos, hasta que tomen un color dorado.

**2** Incorpore el pimiento, y sofríalo otros 3–4 minutos. Añada la guindilla y los brotes, y saltéelos unos 2 minutos. Mezcle la hierba de limón, la leche de coco, la mantequilla de cacahuete, el vinagre, la salsa de soja y el azúcar, e incorpore la mezcla al wok.

**3** Mientras, cueza los fideos en agua ligeramente salada durante 4 minutos, o según las instrucciones del envase. Escúrralos e incorpórelos al wok, removiendo con cuidado.

**4** Salpimente al gusto. Esparza la cebolleta reservada sobre el salteado de carne y sírvalo inmediatamente.

# salteado de buey con cebollitas

## para 4 personas

450 g de filetes de buey

2 cucharadas de salsa de soja clara

1 cucharadita de aceite de guindilla

1 cucharada de pasta de tamarindo

2 cucharadas de azúcar de palma
   o de Demerara

2 dientes de ajo, majados

2 cucharadas de aceite de girasol

225 g de cebollitas

2 cucharadas de cilantro, picado

1 Con un cuchillo afilado, corte la carne en tiras finas.

2 Coloque los trozos de carne en un recipiente grande y llano que no sea metálico.

3 Mezcle la salsa de soja, el aceite de guindilla, la pasta de tamarindo, el azúcar de palma o Demerara y el ajo.

4 Disponga la mezcla del azúcar sobre la carne. Imprégnela bien, cúbrala con plástico de cocina y déjela macerar al menos durante 1 hora.

5 Caliente un wok o una sartén grande, vierta el aceite de girasol y caliéntelo.

6 Pele las cebollas y córtelas por la mitad. Añadas las cebollas al wok o a la sartén, y sofríalas durante 2–3 minutos o hasta que se doren.

7 Añada la carne y el adobo al wok o a la sartén, y saltéela a fuego vivo durante unos 5 minutos.

8 Esparza el cilantro fresco picado por encima del salteado y sírvalo inmediatamente.

# buey picante con anacardos

## para 4 personas

500 g de solomillo de buey, cortado
en tajadas finas
1 cucharadita de aceite vegetal
1 cucharadita de aceite de sésamo
4 cucharadas de anacardos sin sal
1 cebolleta, cortada en diagonal
en rodajas gruesas
rodajas de pepino, para decorar
ADOBO:
1 cucharada semillas de sésamo
1 diente de ajo, picado
1 cucharada de jengibre picado
1 guindilla roja fresca, picada
2 cucharadas de salsa de soja oscura
1 cucharadita de pasta de curry rojo
tailandés
arroz recién cocido, para acompañar

1 Corte la carne en tiras de 1 cm de anchura. Dispóngala en un cuenco grande que no sea metálico.

2 Para hacer el adobo, tueste las semillas de sésamo en un wok o en una sartén de base gruesa a fuego medio durante 2–3 minutos.

3 Maje bien las semillas en un mortero con el ajo, el jengibre y la guindilla, hasta formar una masa suave. Añada la salsa de soja y la pasta de curry, y revuelva todos los ingredientes para mezclarlos.

4 Impregne bien la carne con la pasta. Cúbrala y déjela macerar en la nevera al menos 2–3 horas o durante toda la noche.

5 Caliente bien un wok o una sartén de base gruesa y engrase el fondo con el aceite vegetal. Añada la carne y saltéela brevemente, removiéndola, hasta que se dore. Retírela del fuego y dispóngala apilada en una fuente caliente.

6 Caliente el aceite de sésamo en una sartén pequeña y fría los anacardos hasta que se doren. Añada la cebolleta y sofríala 30 segundos. Esparza la mezcla sobre la carne y decórela con las rodajas de pepino.

# albóndigas de cerdo con salsa de menta

### para 4 personas

500 g de carne picada de cerdo

40 g de miga de pan

½ cucharadita de pimienta de
Jamaica, molida

1 diente de ajo, majado

2 cucharadas de menta, picada

1 huevo, batido

2 cucharadas de aceite de girasol

1 pimiento rojo, despepitado y
cortado en rodajas finas

250 ml caldo de pollo

4 nueces encurtidas, picadas

sal y pimienta

menta fresca, para decorar

fideos de arroz, para acompañar

**1** Mezcle la carne picada, la miga, la pimienta de Jamaica, el ajo y la mitad de la menta picada en un cuenco. Salpimente al gusto y añada el huevo batido. Ligue bien todos los ingredientes.

**2** Haga bolitas de carne picada del tamaño de una nuez con las manos (mójeselas si le resulta más fácil para formar las albóndigas).

**3** Caliente un wok o una sartén. Añada el aceite y repártalo por el fondo hasta que esté bien caliente. Sofría entonces las albóndigas 4 minutos, o hasta que estén doradas.

**4** Saque las albóndigas de carne del wok o de la sartén con una espumadera cuando estén hechas y déjelas escurrir bien sobre papel de cocina absorbente.

**5** Deseche toda la grasa del wok o de la sartén menos 1 cucharada, añada el pimiento rojo y sofríalo 2–3 minutos, o hasta que comience a ablandarse pero sin tomar color.

**6** Incorpore el caldo y llévelo a ebullición. Sazónelo con sal y pimienta, y vuelva a disponer las albóndigas en el wok o en la sartén. Déjelo cocer a fuego lento durante 7–10 minutos, removiéndolo de vez en cuando.

**7** Añada la menta picada restante y las nueces, y deje que siga hirviendo a fuego lento 2–3 minutos. Remueva las albóndigas para que tomen todo el sabor de la salsa.

**8** Rectifique de sal y de pimienta y sirva las albóndigas enseguida, acompañadas de fideos de arroz y adornadas con las hojas de menta.

# cerdo agridulce

## para 4 personas

450 g de filetes de cerdo

2 cucharadas de aceite de girasol

225 g de calabacines

1 cebolla roja, en gajos

2 dientes de ajo, majados

225 g de zanahorias, cortadas
en juliana

1 pimiento rojo, despepitado
y cortado en tiras

100 g de mazorquitas de maíz

100 g de champiñones

175 g de piña fresca, en cubos

100 g de brotes de soja

150 ml de zumo de piña

1 cucharada de harina de maíz

2 cucharadas de salsa de soja

3 cucharadas de ketchup

1 cucharada vinagre de vino blanco

1 cucharada de miel clara

### SUGERENCIA

Si le gusta la carne más crujiente,
rebócela con una pasta de
harina de maíz y clara de
huevo, y fríala en el
wok en el paso 2.

1 Con un cuchillo afilado, corte
la carne en tiras finas.

2 Caliente el wok, vierta el aceite
de girasol y caliéntelo. Añada el
cerdo y sofríalo durante 10 minutos,
o hasta que los trozos de carne estén
bien hechos por dentro y comiencen
a dorarse por los bordes.

3 Mientras, corte los calabacines
en tiras finas.

4 Añada la cebolla, el ajo, la
zanahoria, el calabacín, el pimiento,
el maíz y los champiñones cortados por
la mitad y sofría otros 5 minutos.

5 Añada los dados de piña y los
brotes de soja y sofría durante
otros 2 minutos.

6 Mezcle el zumo de piña, la
harina de maíz, la salsa de soja,
el ketchup, el vinagre de vino blanco
y la miel.

7 Ponga la mezcla agridulce en el
wok y déjelo cocer a fuego vivo,
removiendo frecuentemente, hasta que
la salsa empiece a espesarse. Disponga
el salteado de cerdo en cuencos
individuales y sírvalo caliente.

# cerdo con salsa satay crujiente

## para 4 personas

150 g de zanahorias

2 cucharadas de aceite de girasol

350 g de filetes de cerdo, cortados
en tiras finas

1 cebolla, en rodajas

2 dientes de ajo, majados

1 pimiento amarillo, en rodajas

150 g de tirabeques

75 g espárragos trigueros

cacahuetes picados, para decorar

SALSA SATAY:

6 cucharadas de mantequilla
de cacahuete crujiente

6 cucharadas de leche de coco

1 cucharadita de guindilla en copos

1 diente de ajo, majado

1 cucharadita de pasta de tomate

3 Agregue luego las zanahorias, el pimiento, los tirabeques y los espárragos, y sofríalos 5 minutos.

4 Para hacer la salsa *satay*, ponga la mantequilla, la leche de coco, los copos de guindilla, el ajo y la pasta de tomate en una sartén. Caliente la salsa con cuidado, removiendo para que no se agarre al fondo.

5 Disponga el salteado en platos individuales calientes. Vierta la salsa *satay* por encima, y decórelo con los cacahuetes. Sírvalo enseguida.

1 Con un cuchillo afilado, corte las zanahorias en juliana fina.

2 Caliente el aceite en un wok, grande precalentado. Añada el cerdo, la cebolla y el ajo, y sofríalos durante 5 minutos, o hasta que la carne esté hecha.

# salteado de cerdo con pasta y verduras

## para 4 personas

3 cucharadas de aceite de girasol

350 g de filetes de cerdo, cortados
en tiras finas

450 g de *taglioni* secos

8 chalotes, en rodajas

2 dientes de ajo, muy picados

2,5 cm de jengibre, rallado

1 guindilla verde fresca, picada

1 pimiento rojo, despepitado y
cortado en tiras finas

1 pimiento verde, despepitado y
cortado en tiras finas

3 calabacines, cortados en rodajas
finas

2 cucharadas de almendras molidas

1 cucharadita de canela molida

1 cucharada de salsa de ostras

55 g de coco cremoso, rallado

sal y pimienta

durante unos 10 minutos, hasta que
estén *al dente*. Escurra bien la pasta
y manténgala caliente.

1 Caliente un wok, vierta el aceite
de girasol y caliéntelo. Salpimente
la carne, añádala al wok y sofríala
durante 5 minutos.

2 Mientras, llene una cazuela de
agua ligeramente salada y llévela
a ebullición. Añada los *taglioni*, deje
hervir de nuevo el agua y cuézalos

3 Incorpore los chalotes, el ajo,
el jengibre y la guindilla al wok,
y saltee todos los ingredientes unos
2 minutos. Añada el pimiento y el
calabacín, y sofríalos durante 1 minuto.

4 Finalmente, añada las almendras
molidas, la canela en polvo,
la salsa de ostras y el coco cremoso,
y sofríalo todo 1 minuto más.

5 Pase los *taglioni* a una fuente
caliente. Disponga por encima
el salteado y sírvalo inmediatamente.

# cerdo crujiente con arroz frito y huevo

### para 4 personas

275 g de arroz blanco de grano largo

600 ml de agua fría

350 g de filetes de cerdo

2 cucharaditas de mezcla china
de 5 especias

4 cucharadas de harina de maíz

3 huevos grandes

25 g de azúcar de Demerara

2 cucharadas de aceite de girasol

1 cebolla

2 dientes de ajo, majados

100 g de zanahorias, en rodajas

1 pimiento rojo, en rodajas

100 g de guisantes

2 cucharadas de mantequilla

sal y pimienta

1 Lave el arroz bajo el chorro del grifo. Dispóngalo en una olla grande, añada el agua fría y una pizca de sal. Llévelo a ebullición, cúbralo, reduzca el fuego y déjelo cocer durante 9 minutos, o hasta que el arroz quede seco y tierno.

2 Mientras, con un cuchillo bien afilado, corte los filetes de cerdo en lonchas muy finas y uniformes. Reserve la carne.

3 Junte la mezcla china de 5 especias con la harina de maíz, 1 huevo y el azúcar de Demerara. Impregne bien la carne con esta mixtura.

4 Caliente el aceite en un wok o sartén precalentados. Incorpore la carne y saltéela a fuego vivo hasta que esté hecha y crujiente. Retírela del wok con una espumadera y resérvela caliente.

5 Con un cuchillo bien afilado, corte la cebolla en dados.

6 Añada al wok la cebolla, el ajo, el pimiento, la zanahoria y los guisantes, y sofríalos 5 minutos.

7 Vuelva a poner el cerdo en el wok, junto con el arroz hervido, y sofríalo todo 5 minutos.

8 Caliente la mantequilla en una sartén, bata los huevos restantes y cuájelos. Disponga la tortilla en una tabla y córtela en tiras finas. Incorpore las tiras de huevo al sofrito y sírvalo inmediatamente.

# cerdo con mooli

## para 4 personas

4 cucharadas de aceite vegetal

450 g de solomillo de cerdo

1 berenjena

225 g de *mooli*

2 dientes de ajo, majados

3 cucharadas de salsa de soja clara

2 cucharadas de salsa de guindilla

arroz o fideos, para servir

---

### SUGERENCIA

El *mooli* es una especie de rábano blanco muy utilizado en la cocina china. Se suele rallar y su sabor resulta algo más suave que el del rabano común. Se vende en todos los comercios orientales bien surtidos.

1 Caliente 2 cucharadas de aceite vegetal en un wok grande o sartén previamente calentados.

2 Con un cuchillo afilado, corte el cerdo en lonchas finas uniformes.

3 Incorpore las rodajas de cerdo al wok o a la sartén, y saltéelas unos 5 minutos.

4 Usando un cuchillo afilado, corte la berenjena en cubos. Pele y corte asimismo el *mooli* en rodajas.

5 Disponga el resto del aceite vegetal en el wok o en la sartén.

6 Incorpore los dados de berenjena, junto con el ajo, y saltéelos durante 5 minutos.

7 Incorpore el *mooli* al wok y sofríalo durante unos 2 minutos.

8 Añada las salsas de soja y de guindilla dulce, y caliéntelo.

9 Pase el salteado de cerdo a cuencos individuales y sírvalo acompañado de arroz o de fideos.

# cerdo guisado con pimientos

## para 4 personas

15 g de setas chinas
    deshidratadas

450 g de chuletas de cerdo,
    deshuesadas

2 cucharadas de aceite vegetal

1 cebolla, en rodajas

1 pimiento rojo, en rodajas

1 pimiento verde, en rodajas

1 pimiento amarillo, en rodajas

4 cucharadas de salsa de ostras

---

### VARIACIÓN

Si lo prefiere, sustituya las setas
secas chinas por champiñones
cortados en láminas.

---

1 Disponga las setas en un cuenco grande. Cúbralas bien con agua hirviendo y déjelas reposar durante unos 20 minutos.

2 Con un cuchillo afilado, retire la grasa que pudiera tener la carne. Córtela en tiras finas.

3 Lleve una cazuela grande de agua a ebullición. Añada la carne de cerdo y cuézala durante 5 minutos.

4 Saque la carne de la olla con ayuda de una espumadera y deje que escurra bien.

5 Caliente un wok grande. Añada el aceite y caliéntelo. Incorpore la carne y saltéela unos 5 minutos.

6 Saque luego las setas del agua y escúrralas bien. Píquelas en trozos gruesos.

7 Añada las setas, la cebolla y el pimiento al wok, y sofría todo durante 5 minutos.

8 Añada la salsa de ostras y deje cocer unos 2–3 minutos. Sírvalo enseguida en cuencos individuales.

99

# albóndigas de cerdo picantes

## para 4 personas

450 g de carne picada de cerdo

2 chalotes, picados finos

2 dientes de ajo, majados

1 cucharadita de semillas de comino

½ cucharadita de guindilla molida

25 g de miga de pan integral

1 huevo, batido

2 cucharadas de aceite de girasol

400 g de tomate en conserva
aderezado con guindilla

2 cucharadas de salsa de soja

200 g de castañas de agua en
conserva, lavadas y escurridas

3 cucharadas de cilantro fresco,
picado

### SUGERENCIA

Si no encuentra la variedad de
tomate recomendada, añada unas
cucharaditas de salsa de guindilla
a una lata de tomate natural.

1 Disponga la carne picada en un cuenco grande. Añada el chalote, el ajo, el comino, la guindilla en polvo, la miga de pan y el huevo, y mézclelo todo bien.

2 A continuación, forme pequeñas albóndigas de carne con las palmas de las manos.

3 Caliente un wok o una sartén de base gruesa, vierta el aceite y caliéntelo. Añada las bolitas de carne, y sofríalas en tandas a fuego vivo unos 5 minutos, o hasta sellarlas.

4 Incorpore el tomate, la salsa de soja y las castañas, y lleve a ebullición. Vuelva a poner las albóndigas en el wok, reduzca el fuego y deje que hiervan unos 15 minutos.

5 Decore las albóndigas con el cilantro y sírvalas caliente.

# cerdo con ciruelas

## para 4 personas

450 g de solomillo de cerdo

1 cucharada de harina de maíz

2 cucharadas de salsa de soja clara

2 cucharadas de vino de arroz chino

4 cucharaditas de azúcar moreno

1 pizca de canela molida

5 cucharaditas de aceite vegetal

2 dientes de ajo, majados

2 cebolletas, picadas

4 cucharadas de salsa de ciruelas

1 cucharada de salsa *hoisin*

150 ml de agua

1 chorrito de salsa de guindilla

PARA DECORAR:

varios cuartos de ciruela fritos

cebolletas

1 Corte los solomillos de cerdo en lonchas finas.

2 Mezcle la harina de maíz, la salsa de soja, el vino de arroz, el azúcar y la canela en polvo en un cuenco.

3 Disponga la carne de cerdo en un recipiente llano. Vierta la mezcla de harina de maíz por encima e imprégnela bien. Cúbrala y déjela macerar durante unos 30 minutos.

4 Saque la carne del cuenco, y reserve el adobo.

5 Caliente el aceite en un wok o en una sartén previamente calentados. Añada la carne y saltéela 3–4 minutos, hasta dorarla.

6 Añada el ajo, la cebolleta, la salsa de ciruelas, la salsa *hoisin*, el agua y la salsa de guindilla. Llévelo a ebullición. Reduzca el fuego. Cúbralo y déjelo que cueza durante 8–10 minutos, o hasta que la carne quede hecha y tierna.

7 Añada el adobo y déjelo cocer, removiendo, 5 minutos.

8 A continuación, pase el sofrito de cerdo a una fuente caliente y decórelo con los cuartos de ciruela fritos y la cebolleta. Sirva el plato inmediatamente.

# cordero al aroma del ajo con salsa de soja

## para 4 personas

450 g de filetes de lomo de cordero

2 dientes de ajo

2 cucharadas de aceite de cacahuete

3 cucharadas de jerez o vino de arroz

3 cucharadas de salsa de soja oscura

1 cucharadita de harina de maíz

2 cucharadas de agua

2 cucharadas de mantequilla

1 Con un cuchillo afilado, haga pequeños cortes en la carne.

2 Pele los ajos y córtelos en láminas con un cuchillo afilado.

3 Disponga las láminas de ajo en las hendiduras de la carne. Colóquela en un recipiente llano.

4 En un cuenco grande mezcle 1 cucharada de aceite, 1 de jerez seco o vino de arroz y 1 de salsa de soja oscura. Vierta la salsa sobre el cordero e imprégnelo bien. Cubra la carne en adobo con plástico de cocina y déjela macerar durante al menos 1 hora o, a ser posible, durante toda la noche.

5 Escurra el cordero y reserve el adobo. Corte la carne en tiras finas con un cuchillo afilado.

6 Caliente el resto del aceite en un wok precalentado. Añada las tiras de cordero y saltéelas durante unos 5 minutos.

7 Añada el adobo y el resto del jerez seco y de la salsa de soja al wok, y deje que hierva durante otros 5 minutos.

8 Haga una pasta con la harina de maíz y el agua. Incorpórela al wok y cueza removiendo de vez en cuando, hasta que la salsa empiece a espesarse.

9 Corte la mantequilla en trozos. Añádala al wok y caliéntela hasta que se derrita. Disponga el salteado de cordero en platos individuales y sírvalo inmediatamente.

# cordero con hojas de lima a la tailandesa

## para 4 personas

2 guindillas rojas frescas

2 cucharadas de aceite de cacahuete

2 dientes de ajo, majados

4 chalotes, picados

2 tallos de hierba de limón, picados

6 hojas de lima cafre

1 cucharada de pasta de tamarindo

25 g de azúcar de palma

450 g de carne magra de cordero

600 ml de leche de coco

175 g de tomates cereza, en mitades

1 cucharada de cilantro, picado

arroz aromático recién cocido,

    para acompañar

### SUGERENCIA

Cuando compre cilantro procure que las hojas sean frescas y de color verde brillante. Para conservarlo mejor, lave y seque las hojas y los tallos. Envuélvalo con papel de cocina húmedo y guárdelo en una bolsa de plástico en la nevera.

1 Con un cuchillo afilado, retire las pepitas de las guindillas y píquelas.

2 Caliente un wok grande o una sartén, vierta el aceite y caliéntelo.

3 Añada el ajo, los chalotes, la hierba de limón, las hojas de lima, la pasta de tamarindo, el azúcar y la guindilla, y sofríalo todo 2 minutos.

4 Con un cuchillo afilado, corte el cordero en tiras finas o dados. Añádalo al wok o a la sartén, y saltéelo 5 minutos, removiendo bien hasta que la carne se impregne completamente con la salsa.

5 Incorpore la leche de coco al wok o la sartén y lleve el guiso a ebullición. Reduzca el fuego y déjelo cocer suavemente unos 20 minutos.

6 Añada el tomate y el cilantro, y deje hervir el guiso 5 minutos removiéndolo de vez en cuando. Dispóngalo en platos individuales y sírvalo caliente con el arroz aromático.

# cordero con salsa de alubias negras

## para 4 personas

450 g de carne de cordero (filetes
de lomo o chuletas deshuesadas)

1 clara de huevo, batida ligeramente

4 cucharadas de harina de maíz

1 cucharadita de mezcla china
de 5 especias

3 cucharadas de aceite de girasol

1 cebolla roja

1 pimiento rojo, en tiras

1 pimiento verde, en tiras

1 pimiento amarillo, en tiras

5 cucharadas de salsa de alubias
negras

arroz o fideos hervidos, para servir

1 Con un cuchillo afilado, corte el cordero en tiras finas.

2 Junte la clara con la harina de maíz y la mezcla china de 5 especias. Impregne bien la carne con esta mixtura.

3 Caliente un wok, vierta el aceite y caliéntelo. Saltee las tiras de cordero a fuego vivo 5 minutos, o hasta que empiecen a mostrar un aspecto crujientes por los bordes.

4 Corte la cebolla en rodajas y añádala con el pimiento al wok. Sofríalos 5–6 minutos, o hasta que se empiecen a ablandar.

5 Incorpore la sala de alubias negras al wok, y deje que se calienten bien todos los ingredientes.

6 Disponga el cordero con la salsa en platos individuales calientes y sírvalo inmediatamente con arroz o fideos recién cocidos.

# cordero y cebolleta con salsa de ostras

## para 4 personas

450 g de pierna de cordero

1 cucharadita de pimienta de Sichuan

1 cucharada de aceite de cacahuete

2 dientes de ajo

8 cebolletas, en rodajas

2 cucharadas de salsa de soja oscura

175 g de col china

6 cucharadas de salsa de ostras

pan de gambas, para acompañar

### SUGERENCIA

La salsa de ostras se elabora con ostras cocidas en salmuera y salsa de soja. Se vende en botellas y, en la nevera, se conserva durante meses.

1 Con un cuchillo afilado, retire la grasa que tenga el cordero. Corte la carne en tajadas finas.

2 Esparza la pimienta de Sichuan molida sobre la carne. Revuelva bien para repartir la pimienta.

3 Caliente un wok o una satén grande de base gruesa. Vierta el aceite y caliéntelo.

4 Añada el cordero al wok o a la sartén, y saltéelo durante unos 5 minutos.

5 Mientras, maje el ajo con un mortero. Incorpórelo junto con la cebolleta y la salsa de soja al wok, y sofríalo durante 2 minutos.

6 Pique en trozos gruesos la col e incorpórela al wok junto con la salsa de ostras. Siga sofriendo todo otros 2 minutos, o hasta que la col empiece a ablandarse y la salsa hierva ligeramente.

7 Pase el salteado de cordero a cuencos individuales calientes y sírvalo inmediatamente, si así lo desea, con pan de gambas.

# cordero con salsa satay

## para 4 personas

450 g de filetes de lomo de cordero

1 cucharada de pasta de curry suave

150 ml de leche de coco

2 dientes de ajo, majados

½ cucharadita de guindilla molida

½ cucharadita de comino molido

SALSA SATAY:

1 cucharada de aceite de maíz

1 cebolla, en cuadritos

6 cucharadas de mantequilla
   de cacahuete crujiente

1 cucharadita de pasta de tomate

1 cucharadita de zumo de lima

100 ml de agua

### SUGERENCIA

Deje remojar las brochetas de
madera en agua fría 30 minutos
antes de ensartar la carne para
que no se quemen en el horno.

1 Corte la carne en tiras finas y dispóngala en una fuente grande.

2 Mezcle la pasta de curry, la leche de coco, el ajo, el comino y la guindilla en un cuenco. Vierta la mezcla sobre la carne, imprégnela bien, tápela y déjela macerar unos 30 minutos.

3 Para hacer la salsa, caliente el aceite en un wok grande y sofría la cebolla 5 minutos. Reduzca el fuego y deje cocer otros 5 minutos más.

4 Añada el tomate, la mantequilla, el zumo de lima y 100 ml de agua.

5 Ensarte la carne en brochetas de madera. Reserve el adobo.

6 Ase la carne al grill 6–8 minutos dándole la vuelta una vez.

7 Añada el adobo al wok, lleve la salsa a ebullición y déjela hervir durante 5 minutos. Sirva las brochetas acompañadas de la salsa *satay*.

# salteado de cordero a la naranja

## para 4 personas

450 g de carne picada de cordero

2 dientes de ajo, majados

1 cucharadita de semillas de comino

1 cucharadita de cilantro molido

1 cebolla roja, en rodajas

la ralladura fina y el zumo
    de 1 naranja

2 cucharadas de salsa de soja clara

1 naranja, cortada en gajos

sal y pimienta

cebollino picado, para decorar

1 Caliente un wok o una sartén de base gruesa en seco, es decir, sin añadir aceite.

2 Añada el picado de cordero. Saltéelo 5 minutos, o hasta que la carne esté dorada. Retire la grasa que pueda haber en el wok.

3 Ponga el ajo, las semillas de comino, el cilantro molido y la cebolla roja en el wok o en la sartén y sofríalos durante otros 5 minutos.

4 Incorpore la ralladura fina y el zumo de naranja y la salsa de soja, removiendo para mezclar bien los

ingredientes. Cúbralo, reduzca el fuego y deje que hierva suavemente durante 15 minutos; vaya removiendo de vez en cuando.

5 Retire la tapa, suba el fuego y añada los gajos de naranja. Remueva para mezclar los ingredientes.

6 Salpimente y siga calentándolo otros 2–3 minutos, agitando y removiendo constantemente.

7 Disponga el salteado de cordero en platos individuales calientes y adórnelo con el cebollino picado. Sírvalo inmediatamente.

# hígado de cordero con pimento al jerez

## para 4 personas

450 g de hígado de cordero

3 cucharadas de harina de maíz

2 cucharadas aceite de cacahuete

1 cebolla, en rodajas

2 dientes de ajo, majados

2 pimientos verdes, despepitados
   y cortados en rodajas

2 cucharadas de pasta de tomate

3 cucharadas de jerez seco

2 cucharadas de salsa de soja oscura

**1** Con un cuchillo afilado, retire la grasa del hígado de cordero. Córtelo en tajadas finas.

**2** Disponga 2 cucharadas de la harina de maíz en un cuenco grande.

**3** Reboce bien los trozos de hígado de cordero con la harina de maíz.

**4** Caliente el aceite de cacahuete en un wok grande precalentado.

**5** Incorpore al wok los trozos de hígado, la cebolla, el ajo y el pimiento, y sofríalos durante 6–7 minutos, o hasta que la carne esté hecha y la verdura tierna.

**6** Mezcle la pasta de tomate, el jerez seco, el resto de la harina y la salsa de soja. Añádalo al wok. Déjelo cocer, removiéndolo de forma constante, otros 2 minutos, o hasta que la salsa se espese. Páselo luego a cuencos individuales calientes y sírvalo inmediatamente.

# salteado de venado agridulce

## para 4 personas

1 manojo de cebolletas

1 pimiento rojo

100 g de tirabeques

100 g de mazorquitas de maíz

350 g de filetes de lomo de venado

1 cucharada de aceite vegetal

1 diente de ajo, majado

2,5 cm de jengibre, picado fino

3 cucharadas de salsa de soja clara,
   y un poco más para servir

1 cucharada de vinagre de vino
   blanco

2 cucharadas de jerez seco

2 cucharaditas de miel clara

225 g de piña en su jugo, escurrida
   y troceada

25 g de brotes de soja

arroz hervido, para acompañar

1 Corte las cebolletas en trozos de 2,5 cm. Parta por la mitad el pimiento y deseche las pepitas. Luego córtelo en trozos de 2,5 cm. Trocee los tirabeques y las mazorquitas.

2 Retire la grasa de la carne y córtela en tiras finas. Caliente un wok o una sartén grande, vierta el aceite y caliéntelo. Saltee la carne, el ajo y el jengibre unos 5 minutos.

3 Añada la cebolleta, el pimiento rojo, las mazorquitas de maíz y los tirabeques. Incorpore la salsa de soja, el vinagre, el jerez y la miel. Sofríalo todo otros 5 minutos.

4 Incorpore los trozos de piña y los brotes y déjelo cocer otros 1–2 minutos, hasta que se haya calentado todo. Sirva el venado acompañado de arroz recién cocido y salsa de soja.

### VARIACIÓN

Para una comida consistente, cueza 225 g de fideos de arroz en agua hirviendo durante 3–4 minutos. Escúrralos e incorpórelos al wok en el paso 4, con la piña y los brotes. Añada 2 cucharadas más de salsa de soja.

# Pescado y marisco

El pescado y el marisco desempeñan un papel primordial en la cocina de los países del Lejano Oriente. Y es que estos alimentos tienen un  sabor exquisito y, al mismo tiempo, son muy saludables. Por otro lado, el pescado y el marisco son ingredientes muy versátiles. Se pueden preparar de muchísimas formas diferentes en el wok, al vapor, fritos y salteados, y condimentarse con una infinita variedad de especias y salsas deliciosas.

Japón es famoso por el *sushimi* o pescado crudo, pero ésa es sólo una de las muchas formas de preparar el pescado y el marisco, omnipresentes en la gastronomía del país.

Cuando compre pescado o marisco para alguna de las recetas de este capítulo, elíjalos bien frescos. Una vez adquirido, intente elaborar y consumir el pescado lo antes posible, preferiblemente el mismo día.

# salteado de atún y verduras

## para 4 personas

225 g de zanahorias

1 cebolla

175 g de mazorquitas de maíz

2 cucharadas de aceite de maíz

175 g de tirabeques

450 g de atún fresco

2 cucharadas de salsa de pescado
   tailandesa

1 cucharada de azúcar de palma

la ralladura y el zumo de 1 naranja

2 cucharadas de jerez

1 cucharadita de harina de maíz

arroz o fideos hervidos, para servir

---

### VARIACIÓN

Si lo desea, utilice pez espada
en lugar de atún; resulta
mucho más económico y
su textura es bastante
similar.

---

1 Corte las zanahorias en tiras largas
y finas, la cebolla en rodajas y
las mazorquitas de maíz por la mitad.

2 Caliente un wok o una sartén
grande, vierta el aceite de maíz
y caliéntelo.

3 Añada la cebolla, la zanahoria,
los tirabeques y las mazorquitas
al wok, y sofríalo todo unos 5 minutos.

4 Con un cuchillo afilado, corte el
atún en rodajas finas (mejor si ha
estado brevemente en el congelador).

5 Añada el atún al wok o a la
sartén, y sofríalo 2–3 minutos,
o hasta que la carne quede opaca.

6 Mezcle en un cuenco la salsa de
pescado, el azúcar de palma, la
ralladura y el zumo de naranja, el jerez
y la harina de maíz.

7 Vierta la mezcla sobre el pescado
y la verdura, y déjelos cocer
2 minutos, o hasta que la salsa se
espese. Sirva el salteado de atún
con arroz o fideos hervidos.

# salteado de rape al jengibre

## para 4 personas

450 g de cola de rape

1 cucharada de jengibre, rallado

2 cucharadas de salsa de chile dulce

1 cucharada de aceite de maíz

100 g de espárragos trigueros

3 cebolletas, en rodajas

1 cucharadita de aceite de sésamo

1 Quite con cuidado y deseche la membrana gris que recubre el rape. Con un cuchillo afilado, corte y desprenda la carne de ambos lados de la espina central. Deseche también la espina y corte el pescado en rodajas finas. Resérvelas.

2 Mezcle bien el jengibre con la salsa de chile o guindilla dulce en un cuenco pequeño. Pinte los trozos de rape con la mezcla sirviéndose de un pincel de cocina.

3 Caliente un wok o una sartén grande de base gruesa, vierta el aceite de maíz y caliéntelo.

4 Incorpore al wok o la sartén los trozos de rape, los espárragos y la cebolleta picada. Sofría todos los ingredientes durante unos 5 minutos. Procure remover el salteado con cuidado para que no se rompan los trozos de pescado.

5 Retire el wok o la sartén del fuego, rocíe el salteado con el aceite de sésamo, y remueva todos los ingredientes para mezclarlos bien.

6 Disponga el rape al jengibre en platos individuales calientes y sírvalo inmediatamente.

# balti de rape con quingombós

## para 4 personas

750 g de filetes de rape, cortados
en dados de 3 cm

250 g de quingombós

2 cucharadas de aceite de girasol

1 cebolla, cortada en rodajas

1 diente de ajo, majado

2,5 cm de jengibre, cortado
en rodajas

150 ml de leche de coco o de caldo
de pescado

2 cucharaditas de *garam masala*

MARINADA:

3 cucharadas de zumo de limón

la ralladura de 1 limón

¼ de cucharadita de anís

½ cucharadita de sal

½ cucharadita de pimienta

PARA ADORNAR:

4 gajos de lima

tallos de cilantro fresco

1 Para hacer la marinada, mezcle todos los ingredientes en un cuenco. Deje el rape en la marinada durante 1 hora.

2 Lleve una cazuela de agua a ebullición, añada los quingombós y déjelos hervir 4–5 minutos. Escúrralos y córtelos en rodajas de 1 cm.

3 Caliente un wok, vierta el aceite y caliéntelo. Añada la cebolla y sofríala hasta dorarla. Incorpore el ajo y el jengibre, y sofríalos 1 minuto. Añada luego el pescado con la marinada y saltéelo 2 minutos.

4 Incorpore los quingombós, la leche de coco o el caldo, y el *garam masala,* y déjelo cocer unos 10 minutos. Sírvalo decorado con los gajos de lima y el cilantro fresco.

# bacalao con coco y albahaca

## para 4 personas

2 cucharadas de aceite vegetal

450 g de filetes de bacalao, sin piel

25 g de harina con sal

1 diente de ajo, majado

2 cucharadas de pasta de curry

1 cucharada de salsa de pescado

300 ml de leche de coco

175 g de tomates cereza

20 hojas de albahaca

arroz aromático hervido, para servir

### SUGERENCIA

No cueza demasiado
este plato una vez añadidos
los tomates; se romperían
y se les desprendería
la piel.

1 Caliente un wok, vierta el aceite vegetal y caliéntelo.

2 Con un cuchillo afilado, corte el pescado en trozos grandes. Quite las espinas con unas pinzas.

3 Disponga la harina con sal en un cuenco. Reboce bien con ella los trozos de pescado.

4 Incorpore el pescado al wok y sofríalo a fuego vivo unos 3–4 minutos, o hasta que empiece a dorarse por los bordes.

5 En otro cuenco, mezcle el ajo, la pasta de curry y la leche de coco. Vierta la mezcla sobre el pescado y llévelo a ebullición.

6 Añada los tomates partidos por la mitad y déjelo cocer a fuego suave unos 5 minutos.

7 Rompa en trozos grandes las hojas de albahaca. Añádalas al wok y revuelva el guiso con cuidado para no romper el pescado.

8 Disponga el pescado en platos individuales y sírvalo caliente con arroz aromático recién hervido.

# salteado de bacalao con mango

## para 4 personas

175 g de zanahorias

2 cucharadas de aceite vegetal

1 cebolla roja, cortada en rodajas

1 pimiento rojo, cortado en tiras

1 pimiento verde, cortado en tiras

450 g de filetes de bacalao,
   sin piel

1 mango maduro

1 cucharadita de harina de maíz

1 cucharada de salsa de soja clara

100 ml de zumo de frutas tropicales

1 cucharada de zumo de lima

1 cucharada de cilantro picado,
   para decorar

1 Con un cuchillo afilado, corte las zanahorias en juliana.

2 Caliente el aceite en un wok precalentado y sofría la cebolla, la zanahoria y el pimiento 5 minutos.

3 Con un cuchillo afilado, corte el bacalao en trozos. Pele el mango y deseche el hueso. Corte la carne del mango en rodajas finas.

4 Añada el bacalao y el mango al wok, y sofríalos otros 4–5 minutos, o hasta que el pescado esté hecho. Tenga cuidado de no romperlo.

5 Mezcle la harina, la salsa de soja y los zumos. Vierta la mezcla en el wok y remueva hasta que hierva y la salsa comience a espesarse. Esparza el cilantro por encima y sírvalo inmediatamente.

# salteado de pescado

## para 4 personas

3–4 setas chinas secas, pequeñas

300–350 g de filetes de pescado
  blanco de carne firme

1 cucharadita de sal

½ clara de huevo, batida

1 cucharadita de harina de maíz

600 ml de aceite vegetal

1 cucharadita de jengibre, picado

2 cebolletas, muy picadas

1 diente de ajo, muy picado

½ pimiento verde pequeño, picado

½ zanahoria pequeña, en juliana

60 g de brotes de bambú en
  conserva, lavados y escurridos

½ cucharadita de azúcar

1 cucharada de salsa de soja clara

1 cucharadita de vino de arroz
  o de jerez seco

1 cucharada de salsa de guindilla

2–3 cucharadas de caldo de verdura

unas gotas de aceite de sésamo

1 Remoje las setas deshidratadas en un cuenco de agua templada 30 minutos. Escúrralas sobre papel de cocina, y reserve el agua para hacer caldo. Oprima las setas para que pierdan toda el agua, deseche las partes duras y córtelas en láminas.

2 Corte el pescado en trozos pequeños, dispóngalo en un repiente llano con un poco de sal, la clara de huevo y la harina. Rebócelo bien con la mezcla.

3 Caliente un wok, vierta el aceite y caliéntelo. Añada el pescado y fríalo 1 minuto. Sáquelo del wok con una espumadera y déjelo escurrir sobre papel de cocina.

4 Deseche el aceite sobrante del wok, excepto 1 cucharada. Añada el jengibre, la cebolleta y el ajo, y sofríalos unos segundos para dar sabor al aceite. Añada el pimiento, el bambú y la zanahoria, y saltéelos 1 minuto.

5 Añada el azúcar, la soja, el vino, la salsa de guindilla, el caldo y el resto de la sal, y llévelo a ebullición. Añada el pescado, removiéndolo para bañarlo bien con la salsa, y déjelo cocer a fuego suave durante 1 minuto. Incorpore el aceite de sésamo y sírvalo.

**123**

# gambas al coco

## para 4 personas

50 g de coco deshidratado

25 g de pan rallado

1 cucharadita de mezcla china
de 5 especias

½ cucharadita de sal

la ralladura fina de 1 lima

1 clara de huevo

450 g de gambas crudas

aceite de girasol o de maíz, para freír

gajos de limón, para decorar

salsa de soja o guindilla, para servir

### SUGERENCIA

Si las gambas son congeladas,
deje que se descongelen bien.
Para esta receta es mejor utilizar
gambas frescas, pero, si no
dispone de ellas, las puede
comprar cocidas y pelarlas.

1 En un cuenco, junte el coco deshidratado con el pan rallado, la mezcla china de 5 especias, la sal y la ralladura de lima.

2 Bata ligeramente la clara de huevo en otro cuenco.

3 Lave las gambas bajo el grifo de agua fría, escúrralas y séquelas bien con papel de cocina.

4 A continuación, reboce bien las gambas con la clara de huevo, y luego con la mezcla de coco y pan rallado.

5 Caliente un wok grande, vierta 3 dedos de aceite de girasol o de maíz y caliéntelo.

6 Añada las gambas y fríalas 5 minutos, o hasta que estén doradas y crujientes.

7 Sáquelas con un espumadera y déjelas que escurran bien sobre papel de cocina.

8 Disponga las gambas en platos individuales calientes y decórelas con algunos gajos de limón. Sírvalas inmediatamente acompañadas con salsa de soja o de guindilla.

# tortilla de gambas

## para 4 personas

2 cucharadas de aceite de girasol

4 cebolletas

350 g de gambas cocidas, peladas

100 g de brotes de soja

1 cucharadita de harina de maíz

1 cucharada de salsa de soja clara

6 huevos

3 cucharadas de agua

1 Caliente el aceite de girasol en un wok previamente calentado.

2 Con un cuchillo bien afilado, pele las cebolletas y píquelas.

3 Incorpore al wok las gambas, la cebolleta y los brotes de soja, y sofríalos durante 2 minutos.

4 En un bol pequeño, mezcle bien la harina de maíz y la salsa de soja hasta obtener una pasta.

5 En otro cuenco, bata los huevos y el agua con ayuda de un tenedor, y luego mézclelos bien con la pasta de harina y soja.

6 Añada la mezcla de huevo y harina al wok, y caliéntela unos 5–6 minutos, o hasta que cuaje.

7 Disponga la tortilla en una fuente caliente y córtela en 4 trozos. Sírvala inmediatamente.

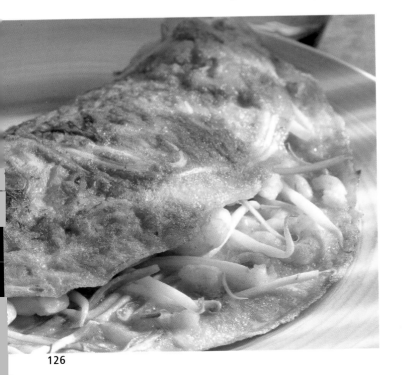

# gambas con tomate condimentado

## para 4 personas

2 cucharadas de aceite de maíz

1 cebolla

2 dientes de ajo, majados

1 cucharadita de semillas de comino

1 cucharada de azúcar de Demerara

400 g de tomate en conserva

1 cucharada de pasta de tomates
    secados al sol

1 cucharada albahaca, picada

450 g de gambas grandes, peladas

sal y pimienta

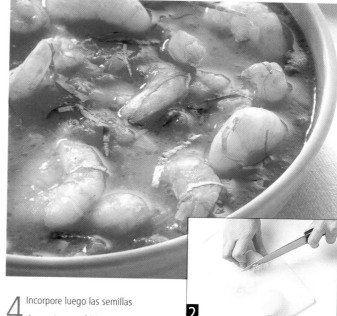

### SUGERENCIA

Con un cuchillo afilado, abra
cada una de las gambas
por el dorso y deseche la
membrana negra.

1 Caliente el aceite de maíz en
un wok precalentado.

2 Con un cuchillo bien afilado,
pique la cebolla fina.

3 Añada la cebolla y el ajo al wok,
y sofríalos durante 2–3 minutos,
o hasta que se ablanden.

4 Incorpore luego las semillas
de comino y sofríalas 1 minuto.

**2**

5 Añada el azúcar, los tomates en
conserva picados y la pasta de
tomate. Llévelo a ebullición, reduzca el
fuego y, removiéndolo, deje que cueza
durante 10 minutos.

**4**

6 Añada la albahaca, las gambas,
y sal y pimienta al gusto a la
salsa. Aumente el fuego y déjelo cocer
otros 2–3 minutos, o hasta que las
gambas estén completamente hechas.
Sírvalas inmediatamente.

**5**

127

# marisco condimentado a la tailandesa

## para 4 personas

200 g de calamares, limpios

500 g de filetes de pescado blanco
de carne firme (rape o congrio)

1 cucharada de aceite de girasol

4 chalotes, muy picados

2 dientes de ajo, muy picados

2 cucharadas de pasta de curry
verde tailandés

2 tallos de hierba de limón, picados

1 cucharadita de pasta de gambas

500 ml de leche de coco

200 g de gambas tigre, crudos
y pelados

12 almejas vivas, limpias

8 hojas de albahaca, picadas, y
algunas enteras para decorar

arroz cocido, para acompañar

### SUGERENCIA

Si lo desea, puede utilizar
mejillones frescos en lugar de
almejas. Añádalos en el paso 4
y prosiga con la receta.

1 Corte los calamares en aros
gruesos y los filetes de pescado
en trozos pequeños.

2 Caliente un wok o una sartén
grande, vierta el aceite y
caliéntelo. Saltee los chalotes, el ajo y
la pasta de curry 1–2 minutos. Añada
la hierba de limón, la pasta de gambas
y la leche de coco, y llévelo a ebullición.

3 Reduzca el fuego. Cuando la salsa
hierva lentamente, incorpore los
trozos de pescado, los aros de calamar
y los camarones. Remuévalo
y déjelo hervir suavemente 2 minutos.

4 Añada las almejas y cueza otro
minuto, hasta que se abran.
Deseche las que queden cerradas.

5 A continuación, esparza la
albahaca picada por encima
del guiso de marisco. Sírvalo
inmediatamente sobre un lecho de
arroz hervido, adornado con las hojas
de albahaca.

# verdura salteada con huevo y gambas

## para 4 personas

225 g de calabacines

3 cucharadas de aceite vegetal

2 huevos

2 cucharadas de agua

225 g de zanahorias, ralladas

1 cebolla, en rodajas

150 g de brotes de soja

225 g de gambas cocidas y peladas

2 cucharadas de salsa de soja clara

1 pizca de mezcla china de 5 especias

25 g de cacahuetes, picados

2 cucharadas de cilantro, picado

1 Ralle los calabacines a mano o con un robot de cocina.

2 Caliente 1 cucharada de aceite vegetal en un wok precalentado.

3 Bata los huevos con el agua, incorpore la mezcla al wok y cuézala 2–3 minutos, o hasta que la tortilla se cuaje.

4 Saque luego la tortilla del wok y colóquela sobre una tabla de cocina. Dóblela sobre sí misma, córtela en tiras finas y resérvala.

5 Añada el resto del aceite al wok, luego la zanahoria, la cebolla y el calabacín, y sofríalos 5 minutos.

6 Incorpore los brotes y las gambas al wok, y deje que se hagan 2 minutos, o hasta que las gambas muestren un aspecto opaco.

7 Condimente con la salsa de soja, la mezcla china de 5 especias y los cacahuetes. Añada las tiras de tortilla y caliente bien el salteado. Adórnelo con cilantro picado y sírvalo inmediatamente.

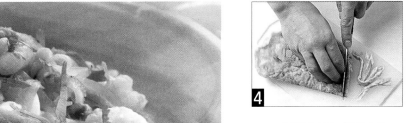

# gambas con jengibre crujiente

## para 4 personas

5 cm de jengibre

aceite de cacahuete, para freír

1 cebolla, a cuadraditos

225 g de zanahorias, en dados

100 g de guisantes congelados

100 g de brotes de soja

450 g de gambas grandes, crudas
    y peladas

1 cucharadita de mezcla china
    de 5 especias

1 cucharada de pasta de tomate

1 cucharada de salsa de soja clara

1 Con un cuchillo afilado, pele el jengibre y córtelo en juliana muy fina.

2 Caliente un wok, vierta dos dedos de aceite y caliéntelo. Añada el jengibre y fríalo 1 minuto, o hasta que esté crujiente. Retire el jengibre con una espumadera y déjelo escurrir sobre papel de cocina.

3 Deseche el aceite de la sartén excepto 2 cucharadas. Añada la cebolla y la zanahoria, y saltéelas unos 5 minutos. Incorpore luego los guisantes y los brotes de soja, y siga sofriendo todo otros 2 minutos.

4 Lave las gambas bajo el chorro de agua fría, y séquelas con papel de cocina.

5 En un cuenco, junte la mezcla china de 5 especias con la pasta de tomate y la salsa de soja. Impregne bien las gambas con la mezcla.

6 Finalmente, incorpore las gambas al wok y sofríalas durante unos 2 minutos, o hasta que estén bien hechas. Disponga el salteado en cuencos individuales calientes y decórelo luego con el jengibre crujiente reservado. Sirva las gambas con jengibre inmediatamente.

# salteado de pinzas de cangrejo picantes

## para 4 personas

700 g de pinzas de cangrejo

1 cucharada de aceite de maíz

2 dientes de ajo, majados

1 cucharada de jengibre, rallado

3 guindillas rojas frescas, picadas

2 cucharadas de salsa de guindilla
   dulce

3 cucharadas de ketchup

300 ml de caldo de pescado

1 cucharada de harina de maíz

sal y pimienta

1 cucharada de cebollino picado,
   para decorar

---

### SUGERENCIA

Si no consigue pinzas de
cangrejo, utilice un cangrejo
entero, cortado en 8 piezas.

---

1 Rompa un poco las pinzas de cangrejo con cuidado. Así, la carne tomará el sabor de la salsa de guindilla, ajo y jengibre.

2 Caliente el aceite de maíz en un wok precalentado.

3 Añada las pinzas de cangrejo al wok y sofríalas unos 5 minutos.

4 Incorpore luego el ajo, el jengibre y la guindilla, y sofríalos 1 minuto removiendo para impregnar las pinzas.

5 Mezcle en un cuenco la salsa de guindilla dulce, el ketchup, el caldo de pescado y la harina de maíz. Añada la mezcla al wok, y cuézala removiendo de vez en cuando, hasta que la salsa empiece a espesarse y reducirse ligeramente.

6 Condimente el guiso con sal y pimienta al gusto.

7 Disponga el salteado de pinzas de cangrejo picantes en platos individuales calientes. Sírvalo de inmediato adornado con el cebollino fresco picado.

# arroz con cangrejo y mejillones

## para 4 personas

300 g de arroz blanco de grano
  largo
175 g de carne de cangrejo fresco,
  en lata o congelado (descongelado),
  o 8 bocas de mar (descongeladas)
2 cucharadas de aceite de girasol
2,5 cm de jengibre, rallado
4 cebolletas, cortadas en rodajas
  finas diagonales
125 g de tirabeques, cortados
  en 2–3 trozos en diagonal
½ cucharadita de cúrcuma molida
1 cucharadita de comino molido
350 g de mejillones de bote,
  escurridos, o congelados,
  a temperatura ambiente
425 g de brotes de soja en
  conserva, lavados y escurridos
sal y pimienta

2 Mientras, extraiga la carne del cangrejo si lo ha elegido fresco. Desmigue la carne de cangrejo o corte en 3-4 trozos las bocas de mar.

3 Caliente el aceite en un wok precalentado y sofría el jengibre y la cebolleta 1–2 minutos. Añada los tirabeques y deje que se siga cociendo todo otro minuto. Esparza la cúrcuma y el comino sobre la verdura, salpimente y revuelva bien todos los ingredientes.

4 Añada la carne de cangrejo y los mejillones, y saltéelo 1 minuto. Incorpore el arroz cocido y los brotes de soja, y sofría 2 minutos, o hasta que esté todo caliente y bien mezclado.

5 Rectifique de sal y de pimienta y sírvalo inmediatamente.

1 Cueza el arroz en una cazuela de agua hirviendo ligeramente salada durante unos 12–15 minutos, o hasta que esté tierno. Lávelo con agua hirviendo nueva y vuelva a escurrirlo.

# cangrejo al curry

## para 4 personas

2 cucharadas de aceite de mostaza

1 cucharada de *ghee*

1 cebolla, picada fina

5 cm de jengibre, rallado

2 dientes de ajo, pelados pero
    enteros

1 cucharadita de cúrcuma molida

1 cucharadita de sal

1 cucharadita de guindilla en polvo

2 guindillas verdes frescas,
    muy picadas

1 cucharadita de pimentón

125 g de carne roja de cangrejo

350 g de carne blanca de cangrejo

250 ml de yogur natural

1 cucharadita de *garam masala*

arroz basmati, para acompañar

cilantro fresco, para adornar

1 Caliente un wok, vierta
el aceite de mostaza y caliéntelo.

2 Cuando empiece a humear, añada
el *ghee* y la cebolla. Sofría
3 minutos a fuego medio, o hasta
que la cebolla se ablande.

3 Incopore el jengibre rallado
y los dientes de ajo enteros.

4 Añada la cúrcuma, las guindillas
en polvo y frescas, la sal y el
pimentón.

5 Aumente el fuego e incorpore
al wok la carne de cangrejo
y el yogur. Deje que cueza suavemente,
revolviéndolo de vez en cuando,
durante 10 minutos, hasta que la salsa
empiece a espesarse ligeramente.

6 A continuación, añada el *garam
masala* para dar sabor al plato,
y revuelva bien.

7 Sírvalo bien caliente acompañado
de arroz basmati y decorado con
el cilantro picado o en rama.

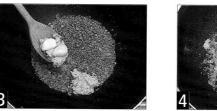

# arroz frito con cangrejo

## para 4 personas

150 g de arroz de grano largo

2 cucharadas de aceite de cacahuete

125 g de carne blanca de cangrejo
en conserva, escurrida

1 puerro, cortado en rodajas

150 g de brotes de soja

2 huevos, batidos

1 cucharada de salsa de soja clara

2 cucharaditas de zumo de lima

1 cucharadita de aceite de sésamo

sal

rodajas de lima, para decorar

---

### VARIACIÓN

Para una ocasión especial,
puede sustituir el cangrejo
por langosta.

---

1 Cueza el arroz en una cazuela con agua hirviendo salada 15 minutos. Escúrralo, lávelo bajo el grifo de agua fría y vuelva a escurrirlo.

2 Caliente un wok o una sartén grande de base gruesa, vierta el aceite y caliéntelo hasta que humee.

3 Añada la carne de cangrejo, el puerro y los brotes de soja, y sofríalos durante unos 2–3 minutos. Retire la mezcla del wok con una espumadera y resérvela.

4 Añada el huevo y deje que se cueza 2–3 minutos, removiéndolo hasta que empiece a cuajar.

5 Incorpore el arroz y la mezcla de cangrejo al wok.

6 Añada la salsa de soja y el zumo de lima. Cueza todo 1 minuto, removiéndolo bien para mezclarlo. Rocíelo con el aceite de sésamo y remuévalo de nuevo.

7 Disponga el arroz en una fuente, decórelo con las rodajas de lima y sírvalo inmediatamente.

# cangrejo al jengibre

## para 4 personas

1 cangrejo grande o 2 medianos,
de un peso total de unos 750 g

2 cucharadas de vino de arroz chino
o de jerez seco

1 huevo, ligeramente batido

1 cucharada de harina de maíz

3–4 cucharadas de aceite vegetal

1 cucharada de jengibre, picado

3–4 cebolletas, cortadas en trozos
pequeños

2 cucharadas de salsa de soja clara

1 cucharadita de azúcar

unas 5 cucharadas de caldo
de pescado o agua

½ cucharadita de aceite de sésamo

hojas de cilantro fresco, para
decorar

**1** Corte el cangrejo por la parte inferior del caparazón. Arranque las pinzas y rómpalas con el mango de un cuchillo de cocina grande.

**2** Deseche las patas y parta el caparazón en varios trozos. Retire también las agallas de ambos lados y el saco del estómago. A continuación, disponga la carne en un cuenco.

**3** Mezcle el vino o el jerez, el huevo y la harina de maíz. Vierta la mezcla sobre la carne de cangrejo y déjela marinar 10–15 minutos.

**4** Caliente el aceite vegetal en un wok precalentado. Añada el cangrejo con el jengibre y la cebolleta, y sofríalo 2–3 minutos.

**5** Añada la salsa de soja, el azúcar y el caldo o el agua, mézclelo todo bien, y llévelo a ebullición. Cubra el guiso y cuézalo 3–4 minutos. Destápelo, añada el aceite de sésamo y sírvalo adornado con hojas de cilantro.

# col china con cangrejo y setas

## para 4 personas

225 g de setas *shiitake*

2 cucharadas de aceite vegetal

2 dientes de ajo, majados

6 cebolletas, en rodajas

1 col china, troceada

1 cucharada de pasta de curry suave

6 cucharadas de leche de coco

200 g de carne blanca de cangrejo
   en conserva, escurrida

1 cucharadita de guindilla en copos

1 Con un cuchillo bien afilado,
corte las setas en láminas.

2 Caliente un wok o una sartén
de base gruesa, vierta el aceite
y caliéntelo.

3 Incorpore al wok las setas y
el ajo, y sofríalos durante unos
3 minutos, o hasta que las setas
queden tiernas.

4 Añada luego la cebolleta y las
hojas de col china troceadas,
y sofríalas justo hasta que empiecen
a ablandarse.

5 Mezcle la pasta de curry y la
leche de coco en un cuenco.

6 Incorpore al wok la mezcla de
curry y leche de coco, junto con
el cangrejo y la guindilla en copos.
Mézclelo todo bien.

7 Caliente la mezcla hasta que
la salsa empiece a hervir.

8 Disponga el cangrejo con la
verdura en cuencos calientes
y sírvalo inmediatamente.

# mejillones con salsa de alubias negras

## para 4 personas

350 g de puerro

350 g de mejillones, cocidos

1 cucharadita de semillas de comino

2 cucharadas de aceite vegetal

2 dientes de ajo, majados

1 pimiento rojo, despepitado
 y cortado en tiras

50 g de brotes de bambú en
 conserva, lavados y escurridos

175 g de hojas tiernas de espinacas

160 g de salsa de alubias negras

### SUGERENCIA

Si no consigue mejillones frescos,
puede sustituirlos por los
enlatados o congelados; se venden
en la mayoría de supermercados.

1 Con un cuchillo afilado, limpie los puerros y córtelos en juliana.

2 Deseche las valvas de los mejillones. En un recipiente grande mezcle bien los mejillones con las semillas de comino.

3 Caliente un wok grande, deje que el aceite vegetal se caliente hasta que comience a humear y repártalo bien por todo el fondo.

4 Añada el puerro en juliana, el ajo y el pimiento en tiras, y sofríalos durante 5 minutos, o hasta que la verdura se empiece a ablandar.

5 Incorpore los brotes de bambú, las espinacas y los mejillones. Sofríalo todo unos 2 minutos.

6 Añada la salsa de alubias negras. Remueva bien para mezclar los ingredientes y deje que cueza a fuego lento unos segundos, removiendo ocasionalmente.

7 Disponga los mejillones en cuencos individuales calientes y sírvalos inmediatamente.

# buñuelos de vieiras

## para 4 personas

100 g de judías verdes tiernas

1 guindilla roja fresca

450 g de vieiras, sin la hueva

1 huevo

3 cebolletas, en rodajas finas

50 g de harina de arroz

1 cucharada de salsa de pescado
   tailandesa

aceite, para freír

salsa de guindilla dulce, para mojar

1 Con un cuchillo afilado, deseche las puntas de las judías y píquelas en trozos pequeños.

2 Despepite y pique fina la guindilla fresca.

3 Lleve una cazuela llena de agua salada a ebullición. Añada las judías y déjelas cocer 3–4 minutos, o hasta que empiecen a ablandarse.

4 Pique un poco las vieiras y dispóngalas en un cuenco grande. Añada las judías también.

5 Mezcle el huevo con la cebolleta, la harina de arroz, la salsa de pescado y la guindilla. Añádalo a las vieiras y mézcle todo bien.

6 Caliente 2,5 cm de aceite en un wok grande precalentado. Incorpore una cucharada de la mezcla y deje que se fría a fuego medio unos 5 minutos, o hasta que cuaje y se dore.

7 Saque el buñuelo y escúrralo sobre papel de cocina. Manténgalo caliente mientras fríe el resto. Sirva los buñuelos calientes con salsa de guindilla dulce para mojar.

# vieiras salteadas con salsa de mantequilla

## para 4 personas

50 g de vieiras frescas, sin la hueva,
o congeladas, a temperatura
ambiente

6 cebolletas

2 cucharadas de aceite vegetal

1 guindilla fresca verde,
despepitada y picada

3 cucharadas de salsa de soja dulce

2 cucharadas de mantequilla

### SUGERENCIA

Si compra vieiras frescas,
introduzca un cuchillo bajo la
membrana para extraer la carne
y deseche la parte dura del
músculo que sujeta la vieira a la
valva. Elimine asimismo el saco
del estómago y el hilo intestinal.

1 Lave las vieiras bajo el chorro de agua fría, escúrralas y séquelas con papel de cocina.

2 Con cuidado, corte cada vieira por la mitad a lo ancho.

3 Con un cuchillo afilado, limpie y corte en rodajas las cebolletas.

4 Caliente un wok o una sartén grande de base gruesa, engrase el fondo con aceite y deje que se caliente hasta que humee.

5 Añada la guindilla, la cebolleta y las vieiras, y sofría todo a fuego vivo 4–5 minutos, o hasta que las vieiras estén hechas. Si son congeladas, procure no cocerlas demasiado o se romperán.

6 Incorpore al wok la salsa de soja y la mantequilla cortada en dados, y siga sofriendo hasta que la mantequilla se derrita.

7 Disponga el salteado en cuencos individuales calientes y sírvalo.

# balti de vieiras

## para 4 personas

750 g de vieiras sin las valvas

2 cucharadas de aceite de girasol

2 cebollas, picadas

3 tomates, cortados en cuartos

2 guindillas verdes frescas, cortadas
en rodajas

4 gajos de lima, para decorar

MARINADA:

3 cucharadas de cilantro, picado

2,5 cm de jengibre, rallado

1 cucharadita de cilantro en polvo

3 cucharadas de zumo de limón

la ralladura de 1 limón

¼ de cucharadita de pimienta

½ cucharadita de sal

½ cucharadita de comino molido

1 diente de ajo, majado

### SUGERENCIA

Es aconsejable comprar las
vieiras frescas con valva.
En ese caso, necesitará
alrededor de 1,5 kg para
preparar esta receta.

1 Para hacer la marinada, mezcle los ingredientes en un cuenco.

2 Disponga las vieiras en un cuenco. Añada la marinada e impregne bien el marisco con ella.

3 Cúbralo con plástico de cocina y déjelo reposar 1 hora o durante toda la noche en la nevera.

4 Caliente el aceite en un wok precalentado, añada la cebolla y sofríala 5 minutos, hasta ablandarla.

5 Añada el tomate y la guindilla, y siga sofriendo durante 1 minuto.

6 Añada las vieiras y saltéelas durante 6–8 minutos, o hasta que estén hechas, pero jugosas y tiernas.

7 Sirva el salteado de vieiras inmediatamente, decorado con los gajos de lima.

# calamares con salsa de alubias negras

## para 4 personas

750 g de calamares, limpios
1 pimiento rojo grande, despepitado
85 g de tirabeques
1 manojo *pak choi*
3 cucharadas de salsa de alubias
   negras
1 cucharada de salsa de pescado
1 cucharada de vino de arroz chino
1 cucharada de salsa de soja oscura
1 cucharadita de azúcar moreno
1 cucharadita de harina de maíz
1 cucharada de agua
1 cucharada de aceite de girasol
1 cucharadita de aceite de sésamo
1 guindilla roja fresca, picada
1 diente de ajo, muy picado
1 cucharadita de jengibre, rallado
2 cebolletas, picadas

1 Con un cuchillo afilado, corte los tentáculos de los calamares y límpielos. Parta luego los cuerpos en cuatro trozos a lo largo superficiales. Haga incisiones superficiales en forma de rejilla. Séquelos con papel de cocina.

2 Corte el pimiento en tiras largas y finas, y los tirabeques por la mitad en diagonal. Trocee en pedazos gruesos las hojas de *pak choi*.

3 Mezcle la salsa de alubias negras, la salsa de pescado tailandesa, el vino de arroz, la salsa de soja y el azúcar. Mezcle la harina con el agua, y añádalas a los demás ingredientes de la salsa. Reserve.

4 Caliente el aceite de girasol y el de sésamo en un wok precalentado. Incorpore la guindilla, el ajo, el jengibre y la cebolleta, y sofríalos 1 minuto. Añada el pimiento y saltéelo durante otros 2 minutos.

5 Incorpore los trozos de calamar y saltéelos a fuego vivo 1 minuto. Añada el *pak choi* y los tirabeques, y sofríalos otro minuto hasta que se ablanden.

6 Añada los ingredientes de la salsa y déjelo cocer, removiéndolo constantemente, unos 2 minutos, hasta que se espese. Sírvalo inmediatamente.

# vieiras condimentadas con guindilla y lima

## para 4 personas

16 vieiras grandes

1 cucharada de mantequilla

1 cucharada de aceite vegetal

1 cucharadita de ajo majado

1 cucharadita de jengibre, rallado

1 manojo de cebolletas, cortadas
en rodajas finas

la ralladura fina de 1 lima

1 guindilla roja fresca, pequeña
y picada muy fina

3 cucharadas de zumo de lima

PARA SERVIR:

gajos de lima

arroz recién cocido

1 Deseche las valvas de las vieiras. Lávelas y séquelas bien con papel de cocina. Separe los corales de las partes blancas y divida éstas últimas en dos mitades horizontalmente.

### SUGERENCIA

Si no puede comprar vieiras frescas, utilícelas congeladas, pero descongélelas bien antes de cocinarlas.

2 Caliente la mantequilla y el aceite vegetal en un wok o en una sartén. Incorpore el ajo y el jengibre, y sofríalos 1 minuto sin que se doren. Añada la cebolleta y saltéela 1 minuto.

3 Incorpore las vieiras y saltéelas a fuego vivo 4–5 minutos. Añada la ralladura de lima, la guindilla y el zumo de limón, y déjelo cocer todo durante 1 minuto más.

4 Sirva las vieiras calientes, en su propia salsa, y acompañadas con los gajos de lima y el arroz cocido.

# calamares crujientes con sal y pimienta

## para 4 personas

450 g de calamares, limpios

4 cucharadas de harina de maíz

1 cucharadita de sal

1 cucharadita de pimienta

1 cucharadita de guindilla en copos

aceite de cacahuete, para freír

salsa de mojar, para acompañar

### SUGERENCIA

Para hacer la salsa de mojar, mezcle 1 cucharada de salsa de soja clara y 1 de soja oscura, 2 cucharaditas de aceite de sésamo, 2 guindillas verdes frescas despepitadas y picadas, 2 cebolletas picadas, 1 diente de ajo majado y 1 cucharada de jengibre rallado.

1 Con un cuchillo afilado, corte los tentáculos de los calamares y límpielos. Corte los cuerpos por un lado y ábralos para obtener piezas planas.

2 Haga incisiones superficiales en forma de rejilla sobre cada pieza y córtelas en 4 trozos.

3 Mezcle la harina de maíz, la sal, la pimienta y los copos de guindilla.

4 Disponga la mezcla de harina, guindilla, sal y pimienta en una bolsa grande de plástico. Meta los trozos de calamar y ágitelos bien para rebozarlos.

5 Caliente unos 5 cm de aceite de cacahuete en un wok grande precalentado.

6 Añada las piezas de calamar y fríalas, en tandas, unos 2 minutos, o hasta que empiecen a curvarse. No fría demasiado tiempo los calamares o quedarán correosos.

7 Retírelos del wok con una espumadera y déjelos escurrir sobre papel de cocina.

8 Disponga los calamares fritos en platos individuales calientes y sírvalos inmediatamente con la salsa de mojar.

# lubina frita con salsa de soja y jengibre

## para 4-6 personas

6 setas chinas secas

3 cucharadas de vinagre de arroz

2 cucharadas de azúcar moreno

3 cucharadas de salsa de soja
oscura

7,5 cm de jengibre, picado fino

4 cebolletas, cortada en rodajas
diagonales

2 cucharaditas de harina de maíz

2 cucharadas de zumo de lima

1 lubina, de 1 kg de peso, limpia

4 cucharadas de harina

aceite de girasol, para freír

sal y pimienta

1 rábano, abierto en rodajas pero
en una pieza, para decorar

PARA SERVIR:

hojas de col china

rodajas de rábano

1 Deje las setas a remojo en agua caliente 10 minutos. Escúrralas y reserve 100 ml del líquido. Corte las setas en tiras finas.

2 Mezcle el líquido reservado con el vinagre de arroz, el azúcar y la salsa de soja. Dispóngalo en un cazo con las setas y llévelo todo a ebullición. Reduzca el fuego y hierva 3–4 minutos.

3 Añada el jengibre y la cebolleta, y deje que cuezan suavemente durante 1 minuto. Mezcle la harina de maíz y el zumo de lima en una pasta cremosa, añádala al cazo y déjela cocer, removiéndola constantemente, durante 1–2 minutos o hasta que se espese. Tape la salsa y resérvela.

4 Salpimente bien la lubina por dentro y por fuera, y rebócela con harina, sacudiendo el exceso.

5 Caliente 2 dedos de aceite en un wok a 190 °C, o hasta que un dado de pan se dore en 30 segundos. Ponga el pescado con cuidado en el aceite y fríalo por un lado unos 3–4 minutos hasta que esté dorado. Dé la vuelta al pescado en el wok con dos espumaderas de metal y fría el otro lado durante 3–4 minutos, hasta que esté igualmente dorado.

6 Saque la lubina del wok, deje que escurra la grasa y dispóngala sobre una fuente. Caliente la salsa hasta que hierva y repártala con una cuchara sobre el pescado. Decore el plato con el rábano entero y la col china troceada con las rodajas de rábano alrededor de la lubina y sírvalo inmediatamente.

# salteado de ostras

## para 4 personas

225 g de puerro

350 g de tofu escurrido

2 cucharadas de aceite de girasol

350 g de ostras sin valva

2 cucharadas de zumo de limón

1 cucharadita de harina de maíz

2 cucharadas de salsa.de soja clara

100 ml de caldo de pescado

2 cucharadas de cilantro, picado

1 cucharadita de ralladura fina
de limón

---

### VARIACIÓN

Si lo prefiere, en lugar de ostras,
puede utilizar almejas
o mejillones.

---

1 Lave los puerros bien, retire las hojas verdes y córtelos en juliana.

2 Con un cuchillo afilado, corte el tofu en dados.

3 Caliente un wok o una sartén grande, vierta el aceite de girasol y caliéntelo. Añada el puerro y sofríalo durante 2 minutos.

4 Incorpore al wok o a la sartén los dados de tofu y las ostras, y saltéelos, removiéndolos con cuidado, durante 1–2 minutos.

5 Mezcle bien el zumo de limón, la harina de maíz, la salsa de soja clara y el caldo de pescado hasta obtener una pasta suave.

6 Añada la mezcla de harina al wok o a la sartén, y déjela cocer a fuego medio, removiéndola, hasta que la salsa empiece a espesar.

7 Disponga el salteado en cuencos y esparza el cilantro y la ralladura de limón por encima. Sírvalo caliente inmediatamente.

# chow mein de marisco

## para 4 personas

85 g de calamares, limpios

3–4 vieiras frescas

85 g de gambas crudas, peladas

½ clara de huevo, batida

2 cucharaditas de harina de maíz,
    mezclada en una pasta con
    2½ cucharaditas de agua

275 g de fideos de huevo

5–6 cucharadas de aceite vegetal

2 cucharadas de salsa de soja clara

55 g de tirabeques

½ cucharadita de sal

½ cucharadita de azúcar

1 cucharadita de vino de arroz chino

2 cebolletas, picadas finas

unas gotas de aceite de sésamo

1 Abra los cuerpos de los calamares y haga unas incisiones en la parte interior en forma de rejilla. Luego córtelos en piezas del tamaño de un sello de correos. Deje los calamares a remojo en un cuenco con agua hirviendo hasta que se curven. Lávelos con agua fría y escúrralos.

2 Corte cada vieira en 3–4 trozos y las gambas por la mitad a lo largo. Reboce los trozos de marisco con la clara y la pasta de harina.

3 Cueza los fideos en agua hirviendo, o según se indique en las instrucciones del envase. Escúrralos y lávelos bajo el chorro de agua fría. Vuelva a escurrirlos e imprégnelos con 1 cucharada de aceite vegetal.

4 Caliente 3 cucharadas de aceite en un wok grande precalentado. Incorpore los fideos y 1 cucharada de salsa de soja, y sofríalos durante unos 2–3 minutos. Resérvelos luego en una fuente.

5 Caliente el resto de aceite en el wok y añada los tirabeques y el marisco. Sofríalo todo unos 2 minutos, incorpore luego la sal, el azúcar, el vino de arroz, el resto de la salsa de soja y la mitad de la cebolleta. Mezcle bien todos los ingredientes y añada un chorrito de agua si fuera necesario. Disponga el marisco sobre los fideos y rocíelo con unas gotas de aceite de sésamo. Decore el plato con el resto de la cebolleta y sírvalo.

# salteado de marisco

## para 4 personas

100 g de espárragos trigueros,
   tiernos, sin los tallos duros
1 cucharada de aceite de girasol
2,5 cm de jengibre, cortado en
   juliana
1 puerro, cortado en juliana
2 zanahorias, cortadas en juliana
100 g de mazorquitas de maíz,
   cortadas en trozos
2 cucharadas de salsa de soja clara
1 cucharada de salsa de ostras
1 cucharadita de miel clara
450 g de moluscos variados
   (si son congelados, a
   temperatura ambiente)
PARA SERVIR:
fideos de huevo, recién cocidos
4 gambas cocidas grandes
cebollino, picado

1 Lleve una cazuela con agua
a ebullición y escalde los
espárragos trigueros durante
1–2 minutos.

2 Deje escurrir bien los espárragos
y resérvelos de forma que se
mantengan calientes. A continuación,
caliente un wok o una sartén grande,
vierta el aceite y sofría el jengibre, el
puerro, la zanahoria y las mazorquitas
durante unos 3 minutos. No deje que
la verdura se dore. A continuación,
añada la salsa de soja, la salsa de
ostras y la miel.

3 Incorpore los moluscos y continúe
sofriendo durante 2–3 minutos,
hasta que la verdura esté tierna y
el marisco bien hecho. Añada los
espárragos y saltéelos durante unos
2 minutos.

4 Para servir, disponga los fideos
en 4 platos individuales calientes
y coloque encima de ellos el salteado
de moluscos y verdura.

5 Decore los platos con las gambas
cocidas y el cebollino picado.
Sírvalos inmediatamente.

# balti de marisco picante

## para 4 personas

1 diente de ajo, majado

2 cucharaditas de jengibre, rallado

2 cucharaditas de cilantro en polvo

2 cucharaditas de comino molido

½ cucharadita de cardamomo molido

¼ de cucharadita de guindilla
en polvo

2 cucharadas de pasta de tomate

5 cucharadas de agua

3 cucharadas de cilantro, picado

500 g de camarones grandes
cocidos y pelados

2 cucharadas de aceite

2 cebollas pequeñas, en rodajas

1 guindilla verde, picada

sal

1 Disponga el ajo, el jengibre, el cilantro en polvo, el comino, el cardamomo, la guindilla en polvo, la pasta de tomate, 4 cucharadas de agua y 2 cucharadas de cilantro picado en un cuenco. Mezcle bien todos los ingredientes.

2 Incorpore los camarones al cuenco, cúbralos con plástico de cocina y déjelos marinar 2 horas.

3 Caliente el aceite en un wok precalentado, añada la cebolla y dórela a fuego medio.

4 Añada los camarones con su marinada y la guindilla, y saltéelos a fuego medio 5 minutos. Rectifique de sal y añada luego una cucharada de agua si el guiso quedara muy seco. Siga salteándolo a fuego medio durante 5 minutos.

5 Sirva inmediatamente el salteado tras decorarlo con el resto del cilantro picado.

### SUGERENCIA

Los camarones mantienen mejor su sabor si se sofríen en una sartén bien tapada a fuego vivo, lo cual permite que se cuezan en su propio jugo.

# Platos vegetarianos

La verdura es un ingrediente fundamental en los platos preparados con el wok, tan típicos del Lejano Oriente. Es perfectamente posible disfrutar de una comida deliciosa con una selección de las recetas que se dan a continuación, prescindiendo de la carne o el pescado. Las mazorquitas de maíz, la col china, las judías verdes, las espinacas tiernas y el *pak choi* ofrecen toda su frescura y su sabor a los salteados.

Los orientales gustan de la verdura poco hecha; por ello, la mayoría de los platos ofrecidos en este capítulo se preparan rápidamente y conservan todo el sabor y la textura de los ingredientes utilizados. Compre siempre verdura fresca y úsela lo antes posible. También es importante lavarla justo antes de cortarla y cocinarla inmediatamente después; de esta manera conservará todas sus vitaminas.

# verdura con jerez y salsa de soja

## para 4 personas

2 cucharadas de aceite de girasol

1 cebolla roja, en gajos finos

175 g de zanahorias, en rodajas

175 g de calabacines, en rodajas
cortadas por la mitad

1 pimiento rojo, en tiras

1 col china pequeña, picada
en trozos gruesos

150 g de brotes de soja

225 g de brotes de bambú en
conserva, lavados y escurridos
150 g de anacardos tostados

SALSA:

3 cucharadas de jerez medio

3 cucharadas de salsa de soja clara

1 cucharadita de jengibre molido

1 diente de ajo, majado

1 cucharadita de harina de maíz

1 cucharada de pasta de tomate

---

**VARIACIÓN**

Puede usar cualquier verdura
fresca que tenga a mano, ya que
este plato es muy versátil.

---

1 Caliente 1 cucharada de aceite
en un wok grande precalentado.

2 Añada la cebolla roja y sofríala
2–3 minutos, hasta ablandarla.

3 Incorpore al wok la zanahoria,
el calabacín y el pimiento, y
sofríalos durante otros 5 minutos.

4 Añada la col china y los brotes
de soja y de bambú, y caliéntelos
durante 2-3 minutos, o hasta que la
col comience a ablandarse. Incorpore
entonces los anacardos.

5 Mezcle el jerez, la salsa de soja,
el jengibre, el ajo, la harina de
maíz y la pasta de tomate en un
cuenco. Vierta la mezcla sobre la
verdura y remuévalo todo bien. Deje
cocer suavemente 2–3 minutos, hasta
que la salsa se espese. Sirva de
inmediato.

# tofu con pimiento verde y cebolla crujiente

## para 4 personas

350 g de tofu firme, escurrido

2 dientes de ajo, majados

4 cucharadas de salsa de soja oscura

1 cucharada de salsa de guindilla
   dulce

6 cucharadas de aceite de girasol

1 cebolla, en rodajas

1 pimiento verde, en dados

1 cucharada de aceite de sésamo

1 Corte el tofu en trozos pequeños y dispóngalos en un recipiente llano que no sea metálico.

2 Mezcle el ajo, las salsas de soja y de guindilla, y vierta la mixtura sobre el tofu. Revuélvalo bien, cúbralo con plástico y déjelo marinar 20 minutos.

3 Mientras, caliente el aceite de girasol en un wok grande previamente calentado.

4 Añada la cebolla y sofríala a fuego fuerte hasta que esté dorada y crujiente. Retire la cebolla con una espumadera y déjela escurrir sobre papel de cocina.

5 Añada el tofu al aceite y sofríalo durante 5 minutos.

6 Retire todo el aceite del wok excepto 1 cucharada. Añada el pimiento y sofríalo 2–3 minutos, o hasta que quede tierno.

7 Vuelva a incorporar al wok el tofu y la cebolla, y caliente uniformemente todos los ingredientes, removiéndolos de vez en cuando.

8 A continuación, rocíe el salteado con el aceite de sésamo. Dispóngalo luego en platos individuales calientes y sírvalo inmediatamente.

# salteado de judías verdes

## para 4 personas

225 g de judías verdes

4 chalotes

100 g de setas *shiitake*

1 diente de ajo

1 lechuga iceberg

1 cucharadita de aceite de guindilla

2 cucharadas de mantequilla

4 cucharadas de salsa de alubias
negras

### SUGERENCIA

Si es posible, use judías verdes
chinas. Son muy tiernas y se
pueden comer enteras. Se venden
en los comercios chinos.

1 Con un cuchillo afilado corte las
judías en trozos, los chalotes en
rodajas y las setas en láminas. Maje
el diente de ajo y trocee la lechuga.

2 Caliente el aceite de guindilla y
la mantequilla en un wok o en
una sartén grande precalentados.

3 Añada las judías verdes, el
chalote, el ajo y las setas en
láminas, y sofría todo durante
2–3 minutos.

4 Añada luego la lechuga troceada
y sofríala hasta que las hojas se
empiecen a ablandar.

5 Incorpore al wok o la sartén
la salsa de alubias negras y
caliéntela, removiéndola bien para
mezclarla, hasta que empiece a hervir.

6 Disponga el salteado en una
fuente caliente y sírvalo enseguida.

# verduras variadas con salsa de cacahuete

## para 4 personas

2 zanahorias

1 coliflor pequeña

2 manojos de *pak choi* pequeños

150 g de judías verdes redondas

2 cucharadas de aceite vegetal

1 diente de ajo, muy picado

6 cebolletas, en rodajas

1 cucharadita de pasta de guindilla

2 cucharadas de salsa de soja

2 cucharadas de vino de arroz chino

4 cucharadas de mantequilla de cacahuete

3 cucharadas de leche de coco

### SUGERENCIA

Es importante cortar la verdura en trozos de tamaño parecido para que se hagan de forma uniforme. Téngala preparada y troceada antes de empezar a cocinar.

1 Corte las zanahorias en rodajas diagonales finas. Trocee la coliflor en ramitos, y luego córtelos en trozos más pequeños. Pique el *pak choi*. Corte las judías en trozos de 3 cm.

2 Caliente el aceite en un wok precalentado. Añada el ajo y la cebolleta, y sofríalos a fuego medio 1 minuto. Incorpore la pasta de guindilla y deje que cueza unos segundos.

3 Añada la zanahoria y la coliflor, y sofríalas durante 2–3 minutos.

4 Añada el *pak choi* y las judías, y sofríalos 2 minutos. Incorpore la salsa de soja y el vino de arroz.

5 Mezcle la mantequilla y la leche de coco, e incorpore la salsa al sofrito removiéndolo constantemente otro minuto. Sírvalo inmediatamente.

# balti dhal

## para 4 personas

225 g de *chana dhal* o guisantes
amarillos, lavados

½ cucharadita de cúrcuma molida

1 cucharadita de cilantro molido

1 cucharadita de sal

4 hojas de curry

2 cucharadas de aceite de girasol

½ cucharadita de asafétida molida
(opcional)

1 cucharadita de semillas de comino

2 cebollas, picadas

2 dientes de ajo, majados

1 cm de jengibre, rallado

½ cucharadita de *garam masala*

1 Disponga los *chana dhal* o guisantes amarillos en una cazuela grande y cúbralos con agua. Llévelo a ebullición y con un cuchara retire la espuma que se forme.

2 A continuación, añada la cúrcuma, el cilantro, la sal y las hojas de curry. Reduzca el fuego y deje que hierva suavemente durante 1 hora, hasta que los *chana dhal* estén tiernos pero no demasiado blandos. Escúrralos bien.

3 Caliente el aceite en un wok. Añada la asafétida (opcional) y sofríala durante 30 segundos.

4 Incorpore las semillas de comino y sofríalas hasta que empiecen a abrirse y saltar.

5 Añada la cebolla y sofríala 5 minutos, hasta que se dore.

6 Añada el ajo, el jengibre, el *garam masala* y los *chana dhal*, y sofríalo todo 2 minutos. Sirva el *balti dhal* como acompañamiento de un plato de curry. Si no lo usa enseguida, guárdelo en el frigorífico.

# salteado de judías diversas

## para 4 personas

400 g alubias rojas en conserva

400 g alubias blancas en conserva

6 cebolletas

200 g de piña en conserva

2 cucharadas de zumo de piña

3–4 trozos de jengibre en conserva

2 cucharadas de jugo del tarro del
jengibre (sirope)

la piel de ½ lima o limón, cortada
en juliana fina

2 cucharadas de zumo de lima
o de limón

2 cucharadas de salsa de soja clara

1 cucharadita de harina de maíz

1 cucharada de aceite de girasol

115 g de judías verdes redondas,
cortadas en trozos de 4 cm

225 g de brotes de bambú de lata

sal y pimienta

1 Escurra bien las alubias rojas y las blancas, lávelas bajo el grifo y vuelva a escurrirlas.

2 Corte 4 cebolletas en rodajas finas diagonales. Luego pique el resto y resérvelo para decorar.

3 Trocee la piña y mézclela con el zumo, el jengibre, el sirope, la piel, la salsa de soja y la harina.

4 Caliente bien el aceite en el wok, deslizándolo todo por el fondo. Incorpore la cebolleta cortada en diagonal, y rehóguela 2 minutos. Añada luego las judías verdes. Escurrra y pique los brotes de bambú, añádalos al wok y siga salteándolo todo 2 minutos.

5 Añada la mezcla de piña y jengibre, y llévelo a ebullición. Añada las alubias de lata y caliéntelo durante 1–2 minutos, sin dejar de remover.

6 Salpimente el salteado de judías, adórnelo con la cebolleta picada y sírvalo inmediatamente.

167

# tortitas de verdura chinas

## para 4 personas

1 cucharada de aceite vegetal

1 diente de ajo majado

2,5 cm de jengibre, rallado

1 manojo de cebolletas,
  cortadas en juliana

100 g de tirabeques, troceados

225 g de tofu firme, escurrido y
  cortado en piezas de 1cm

2 cucharadas de salsa de soja
  oscura

2 cucharadas de salsa *hoisin,*

55 g de brotes de bambú en
  conserva, lavados y escurridos

55 g de castañas de agua en
  conserva, lavadas, escurridas
  y cortadas en rodajas

100 g de brotes de soja

1 guindilla roja pequeña,
  despepitada y cortada en rodajas

1 manojo de cebollinos

12 tortitas chinas

PARA SERVIR:

col china

1 pepino, en rodajas

tiras de guindilla roja fresca

salsa de soja oscura y salsa *hoisin,*
  para mojar

1 Caliente un wok o una sartén grande y sofría el ajo y el jengibre durante 1 minuto.

2 Añada la cebolleta, el tofu, los tirabeques, la salsa de soja y la salsa *hoisin,* y sofríalo 2 minutos.

3 Añada los brotes de bambú, las castañas de agua, los brotes de soja y la guindilla. Rehóguelo 2 minutos, o hasta que la verdura esté tierna.

4 Corte el cebollino en trozos de unos 2,5 cm de largo e incorpórelos a la mezcla.

5 Caliente las tortitas según las instrucciones del envase y resérvelas templadas.

6 Reparta el sofrito de verdura y tofu entre las tortitas. Enróllelas y sírvalas decoradas con la col china, el pepino, las tiras de guindilla roja, y acompañadas con la salsa de soja oscura y la salsa *hoisin,* para mojar.

# estofado de tofu

## para 4 personas

450 g de tofu firme, escurrido

2 cucharadas de aceite de cacahuete

8 cebolletas, cortadas en bastones

2 tallos de apio, en rodajas

125 g de brécol, en ramitos

125 g de calabacines, en rodajas

2 dientes de ajo, en láminas

450 g de espinacas tiernas

arroz cocido, para acompañar

SALSA:

425 ml de caldo de verdura

2 cucharadas de salsa de soja clara

3 cucharadas de salsa *hoisin*

½ cucharadita de guindilla en polvo

1 cucharada de aceite de sésamo

1 Con un cuchillo afilado, corte el tofu en trozos de 2,5 cm y resérvelo hasta que lo necesite.

2 Caliente un wok o una sartén grande de base gruesa, vierta el aceite y caliéntelo.

3 Incorpore al wok o la sartén la cebolleta, el apio, el brécol, el calabacín, el ajo, las espinacas y el tofu, y sofríalo todo a fuego medio durante unos 3–4 minutos.

4 Para hacer la salsa, mezcle en una cazuela el caldo, la salsa de soja, la salsa *hoisin*, la guindilla y el aceite de sésamo, y llévelo todo a ebullición.

5 Añada a la cazuela la verdura salteada y el tofu, reduzca el fuego y deje que cueza suavemente, tapado, durante 10 minutos.

6 Disponga el estofado de tofu y verdura en una fuente caliente, y sírvalo acompañado con arroz.

# tofu agridulce con verdura

## para 4 personas

2 tallos de apio

1 zanahoria

1 pimiento verde, despepitado

85 g de tirabeques

2 cucharadas de aceite vegetal

2 dientes de ajo, majados

8 mazorquitas de maíz

115 g de brotes de soja

450 g de tofu firme, en dados

arroz o fideos cocidos, para servir

SALSA:

2 cucharadas de azúcar moreno

2 cucharadas de vinagre de vino

225 ml de caldo de verdura

1 cucharadita de pasta de tomate

1 cucharada de harina de maíz

### SUGERENCIA

Tenga cuidado de no romper los dados de tofu al cocinarlos.

1 Con un cuchillo, corte el apio en rodajas finas, la zanahoria en tiras, el pimiento en dados y los tirabeques por la mitad, en diagonal.

2 Caliente un wok o una sartén grande, vierta el aceite vegetal y caliéntelo hasta que humee. Reduzca el fuego, añada el ajo, el apio, la zanahoria, el pimiento, los tirabeques y las mazorquitas, y sofríalos durante 3–4 minutos.

3 Añada los brotes de soja y el tofu, y rehóguelos 2 minutos, removiendo con frecuencia.

4 Para hacer la salsa, mezcle bien el azúcar, el vinagre, el caldo, el tomate y la harina. Incorpore la pasta al wok, lleve el guiso a ebullición, y remuévalo constantemente hasta que la salsa se espese. Déjelo cocer durante 1 minuto y sírvalo con arroz o fideos.

# salteado de tofu y verdura

## para 4 personas

175 g de patatas, en dados

1 cucharada de aceite vegetal

1 cebolla roja, en rodajas

225 g de tofu, escurrido

2 calabacines, en dados

8 corazones de alcachofas en conserva

150 ml de *passata* o tomate tamizado

1 cucharada de salsa de guindilla
 dulce

1 cucharada de salsa de soja clara

1 cucharadita de azúcar caster

2 cucharadas de albahaca, picada

sal y pimienta

1 Cueza las patatas en una olla de agua hirviendo unos 10 minutos. Escúrralas y resérvelas.

2 Caliente un wok o una sartén grande, vierta el aceite vegetal y caliéntelo. Sofría en él la cebolla roja durante 2 minutos, o hasta que quede tierna.

3 Corte el tofu en dados, añádalos al wok junto con el calabacín, y sofríalos 3–4 minutos, hasta dorarlos.

4 Incorpore las patatas cocidas al wok o a la sartén.

5 Añada al wok las alcachofas cortadas por la mitad, el tomate *passata*, la salsa de guindilla y la de soja, el azúcar y la albahaca.

6 Salpimente y déjelo cocer otros 5 minutos, removiéndolo bien.

7 Disponga el tofu con la verdura en una fuente caliente y sírvalo inmediatamente.

### SUGERENCIA

Hay que lavar y escurrir bien
los corazones de las alcachofas
en conserva porque suelen
tener mucha sal.

# tofu crujiente con salsa de guindilla y soja

## para 4 personas

300 g de tofu firme, escurrido

2 cucharadas de aceite vegetal

1 diente de ajo, en rodajas

1 zanahoria, cortada en
  bastoncitos

½ pimiento verde, despepitado
  y cortado en bastoncitos

1 guindilla roja fresca, despepitada
  y muy picada

3 cucharadas de salsa de soja clara

1 cucharada de zumo de lima

1 cucharada de azúcar moreno

láminas de ajo encurtido, para servir
  (opcional)

1 Seque el tofu con papel de
cocina. Con un cuchillo afilado,
córtelo en dados de 2 cm.

2 Caliente el aceite en un wok
precalentado. Añada el ajo y
sofríalo a fuego medio 1 minuto.
Saque el ajo con una espumadera
y añada el tofu. Rehóguelo
removiéndolo con cuidado, hasta
que tome un color dorado oscuro.

3 Retire el tofu del wok con una
espumadera y consérvelo bien
caliente. Incorpore la zanahoria y
el pimiento verde, y sofríalos durante
1 minuto. Dispóngalos en una fuente
caliente y coloque el tofu encima.

4 Mezcle la guindilla, la salsa de
soja, el zumo de lima y el azúcar,
removiéndolo bien hasta que éste
se disuelva.

5 Vierta la salsa por encima del
tofu y sírvalo inmediatamente,
decorado con las láminas de ajo
encurtido, si lo desea.

# salteado de setas al jengibre

## para 4 personas

2 cucharadas de aceite vegetal

3 dientes de ajo, majados

1 cucharada de pasta de curry rojo

½ cucharadita de cúrcuma molida

425 g de setas de la paja chinas en
conserva, escurridas y cortadas
por la mitad

2 cm de jengibre, cortado fino

100 ml de leche de coco

40 g de setas negras chinas secas,
remojadas y escurridas

1 cucharada de zumo de limón

1 cucharada de salsa de soja clara

2 cucharaditas de azúcar

½ cucharadita de sal

8 tomates cereza, cortados
por la mitad

200 g de tofu firme, escurrido

hojas de cilantro, para decorar

arroz aromático hervido, para
acompañar

1 Caliente un wok o una sartén,
vierta el aceite, caliéntelo y sofría
el ajo durante 1 minuto. Incorpore
la pasta de curry rojo y la cúrcuma, y
rehóguelo todo durante 30 segundos.

2 Incorpore las setas de la paja y
el jengibre, y sofríalos durante
2 minutos. Añada luego la leche de
coco y llévela a ebullición.

3 Corte las setas secas chinas en
láminas, añádalas al wok con
el zumo de limón, la salsa de soja, el
azúcar y la sal. Añada los tomates y el
tofu en dados. Remueva y caliente bien.

4 Esparza las hojas de cilantro
sobre el salteado y sírvalo
inmediatamente con arroz aromático.

# buñuelos de verdura con salsa de guindilla

## para 4 personas

150 g de harina

1 cucharadita de cilantro molido

1 cucharadita de comino molido

1 cucharadita de cúrcuma molida

1 cucharadita de sal

½ cucharadita de pimienta

2 dientes de ajo, picados finos

3 cm de jengibre, muy picado

2 guindillas verdes frescas
     pequeñas, picadas muy finas

1 cucharada de cilantro picado

unos 225 ml de agua

1 cebolla, muy picada

1 patata, rallada

85 g de maíz dulce

1 berenjena pequeña, cortada
     en dados

125 g de brécol chino, cortado
     en trozos pequeños

aceite de coco, para freír

SALSA DE GUINDILLA DULCE:

2 guindillas rojas frescas, picadas
     muy finas

4 cucharadas de azúcar caster

4 cucharadas de vinagre de arroz

1 cucharada de salsa de soja clara

1 Para hacer la salsa, mezcle todos los ingredientes en un cuenco, removiéndolos bien hasta que el azúcar se disuelva. Cubra el cuenco con plástico de cocina y resérvelo para que los sabores se mezclen.

2 Para preparar los buñuelos, disponga la harina en un cuenco, incorpore el cilantro, el comino, la cúrcuma, la sal y la pimienta. Añada el ajo, el jengibre, la guindilla, el cilantro fresco, y el agua fría necesaria para hacer una masa espesa.

3 Añada al cuenco la cebolla, la patata, el maíz, la berenjena y el brécol chino, y mézclelos bien con la masa.

4 Caliente el aceite en un wok a 190 °C, o hasta que un dado de pan se dore en 30 segundos. Vierta cucharadas de la masa en el aceite, y fríalas en tandas, hasta que estén doradas y crujientes. Déles la vuelta.

5 Mantenga calientes las primeras tandas de buñuelos en el horno mientras fríe las siguientes.

6 Deje escurrir bien los buñuelos sobre papel de cocina absorbente y sírvalos mientras estén aún calientes y crujientes, acompañados con la salsa de guindilla dulce para mojar.

### SUGERENCIA

El brécol chino se conoce también como *kale* o *gaai laan* chino. Sus hojas son de color verde con flores blancas y grises.

# calabacines fritos

**para 4 personas**

450 g de calabacines

1 clara de huevo

50 g de harina de maíz

1 cucharadita de sal

1 cucharadita de mezcla china
   de 5 especias

aceite, para freír

salsa de guindilla, para mojar

---

**VARIACIÓN**

Si lo prefiere, puede condimentar
este plato con guindilla o curry
en polvo en lugar de la mezcla
china de 5 especias.

---

1 Con un cuchillo afilado, corte
los calabacines en rodajas o tiras
alargadas gruesas.

2 Disponga la clara de huevo en
un cuenco. Bátala con un tenedor
hasta que quede espumosa.

3 Junte la harina de maíz con la sal
y la mezcla china de 5 especias,
y coloque la mixtura resultante en un
plato grande.

4 Caliente un wok o una sartén
grande de base gruesa, vierta
el aceite y caliéntelo.

5 Reboce los trozos de calabacín con
el huevo batido y, luego, páselos
por la mixtura formada con la harina
de maíz y la mezcla china de especias.

6 Fría el calabacín, en tandas,
unos 5 minutos, o hasta que
esté ligeramente dorado y crujiente.
Repita el proceso con todos los trozos.

7 Saque las primeras tandas con
una espumadera y déjelas escurrir
bien sobre papel de cocina mientras
fríe el resto del calabacín.

8 Ponga el calabacín frito en platos
individuales calientes y sírvalo
enseguida con la salsa de guindilla.

# albóndigas de maíz y guindilla fritas

## para 4 personas

6 cebolletas, en rodajas finas

3 cucharadas de cilantro, picado

225 g de maíz dulce en conserva

1 cucharadita de guindilla en polvo

1 cucharada de salsa de guindilla
   dulce, y un poco más para servir

25 g de coco deshidratado

1 huevo

75 g de polenta

aceite, para freír

**1** En un cuenco grande, remueva la cebolleta, el cilantro, el maíz dulce, la guindilla en polvo, la salsa de guindilla, el coco, el huevo y la polenta hasta mezclarlos bien.

**2** Cubra el cuenco con plástico de cocina y déjelo reposar durante 10 minutos.

**3** Caliente un wok o una sartén grande, vierta el aceite de freír y caliéntelo a 190 °C, o hasta que un dado de pan se dore en 30 segundos.

**4** Vierta cucharadas de la mezcla de guindilla y polenta en el aceite caliente y fríalas en tandas durante 4–5 minutos, hasta que estén doradas.

**5** Saque las albóndigas con una espumadera, dispóngalas sobre papel de cocina y déjelas escurrir bien. Manténgalas calientes mientras fríe las tandas siguientes.

**6** Ponga las albóndigas en platos individuales y sírvalas con la salsa de guindilla dulce para mojar.

# rollitos de espárragos y pimiento rojo

## para 4 personas

1 pimiento rojo, despepitado

100 g espárragos trigueros tiernos

50 g de brotes de soja

2 cucharadas de salsa de ciruelas

1 yema de huevo

8 láminas de pasta filo

aceite, para freír

salsa de guindilla dulce, para mojar

**1** Corte el pimiento rojo en tiras y dispóngalo con los espárragos y los brotes en un cuenco grande.

**2** Añada la salsa de ciruelas a la verdura y mezcle bien todos los ingredientes.

**3** Bata bien la yema de huevo y resérvela hasta que le haga falta.

**4** Extienda las láminas de pasta filo sobre una superficie de trabajo. Prepare las láminas de una en una.

**5** Disponga un poco de la mezcla de espárragos en un extremo de cada lámina de pasta. Pinte los bordes de las láminas con un poco de yema de huevo batida.

**6** Enrolle las láminas, con los bordes doblados hacia dentro, como si fueran un rollito de primavera.

**7** Caliente el aceite en un wok precalentado. Con cuidado, fría los rollitos de dos en dos, 4–5 minutos, o hasta que estén crujientes.

**8** Sáquelos del aceite con una espumadera y déjelos escurrir sobre papel de cocina.

**9** Disponga los rollitos en platos individuales calientes, y sírvalos enseguida con la salsa para mojar.

### SUGERENCIA

Elija los espárragos con tallo fino; suelen ser más tiernos que los de tallo grueso.

# salteado de espinacas con setas y miel

## para 4 personas

- 4 cebolletas
- 3 cucharadas de aceite de cacahuete
- 350 g setas *shiitake*, en láminas
- 2 dientes de ajo, majados
- 350 g de espinacas tiernas
- 2 cucharadas de vino de arroz chino o jerez seco
- 2 cucharadas de miel clara

1 Con un cuchillo afilado, corte la cebolleta en rodajas.

2 Caliente un wok o una sartén grande de base gruesa, vierta el aceite de cacahuete y caliéntelo.

3 A continuación, añada las setas *shiitake* al wok y sofríalas durante 5 minutos, o hasta que empiecen a ablandarse.

4 Añada al wok o a la sartén el ajo majado.

5 Incorpore luego las espinacas tiernas y rehóguelas durante unos 2–3 minutos, o hasta que empiecen a ablandarse.

6 Disponga en un cuenco el vino de arroz o el jerez, y la miel. Revuélvalos bien para mezclarlos.

Vierta finalmente la salsa obtenida por encima de las hojas de espinacas tiernas, y remuévalas bien para impregnarlas de forma uniforme con la mezcla.

7 Disponga el salteado de espinacas y setas con miel en platos individuales calientes. Decórelo con la cebolleta esparcida por encima y sírvalo inmediatamente.

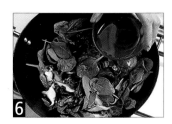

# salteado de zanahoria y naranja

## para 4 personas

2 cucharadas de aceite de girasol

450 g de zanahorias, ralladas

225 g de puerros, en juliana

2 naranjas, en gajos

2 cucharadas de ketchup

1 cucharada de azúcar de Demerara

2 cucharadas de salsa de soja clara

100 g de cacahuetes picados, para decorar

### VARIACIÓN

Si lo desea, puede elegir piña en lugar de naranja. Si usa piña en conserva, asegúrese de que el zumo sea natural, ya que podría estropear la frescura de este plato.

1 Caliente un wok, vierta el aceite de girasol, recubra bien todo el fondo y deje que se caliente hasta que humee.

2 Incorpore al wok la zanahoria rallada y el puerro cortado en juliana, y sofríalos a fuego medio o alto durante 2–3 minutos, o hasta que la verdura empiece a ablandarse.

3 A continuación, baje el fuego y añada los gajos de naranja. Caliente el salteado con mucho cuidado, procurando que no se rompan los gajos de naranja.

4 Mezcle el ketchup, el azúcar y la salsa de soja en un cuenco.

5 Incorpore al wok la mezcla de ketchup y azúcar, y siga rehogándolo todo unos 2 minutos.

6 Disponga el salteado en cuencos individuales calientes y esparza por encima los cacahuetes picados. Sírvalo inmediatamente.

# verdura con salsa de alubias amarillas

## para 4 personas

1 berenjena

sal

2 cucharadas de aceite vegetal

3 dientes de ajo, majados

4 cebolletas, picadas

1 pimiento rojo, despepitado
   y cortado en rodajas finas

4 mazorquitas de maíz, cortadas
   a lo largo por la mitad

85 g de tirabeques

200 g de hojas de mostaza china,
   cortadas en trozos gruesos

425 g de setas de la paja chinas,
   en conserva, escurridas

115 g de brotes de soja

2 cucharadas de vino de arroz chino

2 cucharadas de salsa de alubias
   amarillas

2 cucharadas de salsa de soja oscura

1 cucharadita de salsa de guindilla

1 cucharadita de azúcar

125 ml de caldo de verdura

1 cucharadita de harina de maíz

2 cucharaditas de agua

1 Deseche los extremos de la berenjena y córtela en bastoncitos. Dispóngala sobre un colador y esparza sal por encima. Déjela sudar durante 30 minutos. Lávela con agua fría y séquela con papel de cocina.

2 Caliente el aceite en un wok o en una sartén grande precalentados, y sofría luego el ajo, la cebolleta y el pimiento a fuego vivo 1 minuto. Incorpore la berenjena y sofríala otro minuto, o hasta que se ablande.

3 Incorpore las mazorquitas y los tirabeques, y sofríalos 1 minuto. Añada las hojas de mostaza, las setas y los brotes de soja, y siga salteando todo unos 30 segundos más.

4 Mezcle el vino de arroz, las salsas de alubias, de soja y de guindilla, y el azúcar, y vierta la mezcla en el wok o en la sartén junto con el caldo. Llévelo a ebullición removiendo constantemente.

5 Mezcle la harina de maíz con el agua hasta formar una pasta suave. Incorpórela enseguida al wok o la sartén, y deje cocer la verdura durante 1 minuto más. Sírvala inmediatamente.

# salteado de brécol con salsa hoisin

## para 4 personas

400 g de brécol

1 cucharada de aceite de cacahuete

2 chalotes, picados finos

1 diente de ajo, picado fino

1 cucharada de vino de arroz chino

o jerez seco

5 cucharadas de salsa *hoisin*

¼ de cucharadita de pimienta

1 cucharadita de aceite de guindilla

1 Lave bien el brécol y pártalo en ramitos pequeños. Escáldelo en una cazuela de agua hirviendo durante unos 30 segundos. Escúrralo bien.

2 Caliente un wok, vierta el aceite y deslícelo por la base hasta que esté bien caliente. Añada los chalotes y el ajo, y sofríalos a fuego medio durante 1–2 minutos, hasta que se doren.

3 Incorpore el brécol y sofríalo 2 minutos. Añada el vino de arroz o el jerez, y la salsa *hoisin*, y rehogue el brécol otro minuto más.

4 Condiméntelo con la pimienta y un poco de aceite de guindilla. Dispóngalo en platos individuales calientes y sírvalo inmediatamente.

### SUGERENCIA

Para hacer el aceite de guindilla, meta guindillas frescas verdes o rojas en un tarro y cúbralas con aceite de oliva o vegetal suave. Cierre el tarro y déjelo reposar durante 3 semanas como mínimo.

# champiñones a la tailandesa

## para 4 personas

8 champiñones grandes

3 cucharadas de aceite de girasol

2 cucharadas de salsa de soja clara

1 diente de ajo, majado

2 cm de jengibre o galanga, rallado

1 cucharada de pasta de curry verde
   tailandés

8 mazorquitas de maíz, en trozos

3 cebolletas, picadas

115 g de brotes de soja

100 g de tofu firme escurrido

2 cucharaditas de semillas de
   sésamo, tostadas

PARA SERVIR:

pepino, picado

pimiento rojo, en tiras

1 Retire y reserve los troncos de
   los champiñones. Disponga las
cabezas en una bandeja de horno.
Mezcle 2 cucharadas de aceite de
girasol con 1 cucharada de salsa de
soja clara y pinte los champiñones.

2 Ase las cabezas de champiñón
   bajo el grill precalentado,
dándoles la vuelta, hasta que se doren.

3 Pique los troncos finos. Caliente el
   resto del aceite en un wok o una
sartén de base gruesa precalentados,
y sofría los troncos picados con el ajo
y el galanga o el jengibre 1 minuto.

4 Incorpore la pasta de curry, las
   mazorquitas y la cebolleta, y
sofríalo 1 minuto. Añada los brotes de
soja y siga rehogándolo 1 minuto más.

5 Añada el tofu cortado en dados
   y el resto de la salsa de soja.
Remuévalo con cuidado y deje que
se caliente. Rellene las cabezas de
los champiñones con la mezcla.

6 Esparza las semillas de sésamo
   por encima para decorarlo. Sírvalo
inmediatamente con el pepino picado
y las tiras de pimiento rojo.

# ensalada de berenjena y sésamo

## para 4 personas

8 berenjenas enanas

sal

2 cucharaditas de aceite de guindilla

2 cucharadas de salsa de soja clara

1 diente de ajo, cortado en láminas

1 guindilla roja fresca, despepitada
   y cortada en rodajas

1 cucharada de aceite de girasol

1 cucharadita de aceite de sésamo

1 cucharada de zumo de lima

1 cucharadita de azúcar moreno

1 cucharada de menta picada

1 cucharada de semillas de sésamo,
   tostadas

hojas de menta fresca, para decorar

1 Corte las berenjenas a lo largo en capas hasta unos 2,5 cm del tallo. Dispóngalas sobre un colador, esparza sal por encima y entre las diversas capas, y déjelas sudar durante unos 30 minutos. Lávelas bien bajo el chorro del agua fría, y séquelas con el papel de cocina.

2 Junte el aceite de guindilla con la salsa de soja en un cuenco y pinte las berenjenas con esta mezcla. Áselas bajo el grill precalentado o a la parrilla a fuego vivo, dándoles la vuelta de vez en cuando y pintándolas con más aceite de guindilla y soja, durante 6–8 minutos, hasta que estén doradas y tiernas. Dispóngalas en una bandeja.

3 Sofría el ajo y la guindilla en el aceite de girasol 1–2 minutos, hasta que comiencen a dorarse, y añada el aceite de sésamo, el zumo de lima, el azúcar moreno, y el resto de la mezcla de aceite de guindilla y salsa de soja.

4 Incorpore las hojas de menta picadas y vierta el aliño caliente sobre las berenjenas.

5 Deje marinar la ensalada durante unos 20 minutos. Esparza las semillas de sésamo por encima y sírvala decorada con las hojas de menta fresca.

# setas chinas con salteado de tofu

## para 4 personas

25 g de setas secas chinas

450 g de tofu firme, escurrido

4 cucharadas de harina de maíz

aceite, para freír

2 dientes de ajo, picados finos

2 cucharaditas de jengibre, rallado

100 g de guisantes frecos o
  congelados

1 Disponga las setas chinas en un cuenco. Cúbralas de agua hirviendo y déjelas a remojo unos 10 minutos.

2 Mientras, corte el tofu en dados pequeños con un cuchillo afilado.

3 Disponga la harina de maíz en un cuenco grande.

4 Añada luego los dados de tofu al cuenco y rebócelos bien con la harina de maíz.

5 Caliente un wok grande, vierta el aceite de freír y caliéntelo.

6 Añada los dados de tofu al wok y fríalos en tandas durante 2–3 minutos, o hasta que estén dorados y crujientes. Saque el tofu del aceite con una espumadera y déjelo escurrir sobre papel de cocina.

7 Retire todo el aceite del wok menos 2 cuharadas. Añada el ajo, el jengibre y las setas chinas, y sofría todo durante 2–3 minutos.

8 Reincorpore el tofu al wok y añada los guisantes. Deje que se caliente todo 1 minuto y sírvalo.

# salteado de brécol y col china

## para 4 personas

450 g brécol, en ramitos

2 cucharadas de aceite de girasol

1 cebolla, en rodajas

2 dientes de ajo, en láminas

25 g de almendras, en láminas

1 col china, picada

4 cucharadas de salsa de alubias
  negras

1 Lleve una cazuela grande de agua a ebullición.

2 Incorpore el brécol y déjelo cocer 1 minuto. Escúrralo bien.

3 Mientras, caliente el aceite de girasol en un wok grande precalentado y cubra bien el fondo.

4 Añada la cebolla y el ajo cortado en láminas, y sofríalos hasta que empiecen a tomar color.

5 Incorpore al wok los ramitos de brécol escurridos y las láminas de almendras, y rehóguelos durante otros 2–3 minutos.

6 Añada la col china y saltéela durante 2 minutos.

7 Incorpore la salsa de alubias negras y, removiendo bien la verdura, deje que se caliente hasta que la salsa empiece a hervir.

8 Disponga el salteado en cuencos individuales calientes y sírvalo inmediatamente.

### VARIACIÓN

Si lo desea, puede sustituir las láminas de almendra por anacardos sin sal.

# calabaza con anacardos y cilantro

## para 4 personas

1 kg de calabaza, pelada

3 cucharadas de aceite de
cacahuete

1 cebolla, cortada en tiras

2 dientes de ajo, majados

1 cucharadita de semillas de cilantro

1 cucharadita de semillas de comino

2 cucharadas de cilantro picado

150 ml de leche de coco

100 ml de agua

100 g de anacardos salados

PARA DECORAR:

ralladura de lima

cilantro fresco

gajos de lima

1 Con un cuchillo afilado, corte
la calabaza en dados pequeños.

2 Caliente un wok grande, vierta
en él el aceite de cacahuete y
caliéntelo.

3 Añada la calabaza, la cebolla y
el ajo al wok, y sofríalos durante
5 minutos.

4 Incorpore las semillas de cilantro,
las semillas de comino y el cilantro
fresco, y rehóguelos 1 minuto más.

### SUGERENCIA

Si no dispone de leche de coco,
ralle un poco de coco cremoso
y añádalo al salteado
en el paso 5.

5 Añada la leche de coco y el agua,
y llévelas a ebullición. Reduzca el
fuego, cubra el wok y deje que cueza
suavemente durante 10–15 minutos,
o hasta que la calabaza esté tierna.

6 Incorpore luego los anacardos
al wok y mezcle bien todos los
ingredientes para mezclarlos.

7 Disponga la calabaza en platos
individuales calientes y decórela
con la ralladura de lima, el cilantro
fresco y los gajos de lima. Sírvala
inmediatamente.

# puerro con maíz y salsa de alubias amarillas

## para 4 personas

450 g de puerro

175 g de mazorquitas de maíz

6 cebolletas

3 cucharadas de aceite de cacahuete

225 g de col china, picada

4 cucharadas de salsa de alubias
amarillas

### SUGERENCIA

La salsa de alubias amarillas se
hace con judías de soja saladas
mezcladas con harina y especias.

1 Con un cuchillo afilado, corte
el puerro y las cebolletas en
rodajas, y las mazorquitas por la mitad.

2 Caliente el aceite en un wok o
una sartén grande de base gruesa
precalentados; deslice el aceite por el
fondo hasta que esté caliente y humee.

3 Incorpore al wok o la sartén
el puerro, la col china y las
mazorquitas de maíz.

4 Sofría la verdura a fuego vivo
durante unos 5 minutos, o hasta
que empiece a tomar un color dorado
por los bordes.

5 Añada la cebolleta al wok o a la
sartén, y remueva para mezclar
bien los ingredientes.

6 Añada la salsa de alubias.
Siga rehogando otros 2 minutos,
o hasta que la verdura esté bien
impregnada de salsa.

7 Disponga la verdura en platos
calientes y sírvala inmediatamente.

# salteado de verduras con jengibre

## para 4 personas

1 cucharada de jengibre, rallado

1 cucharadita de jengibre en polvo

1 cucharada de pasta de tomate

2 cucharadas de aceite de girasol

1 diente de ajo, majado

2 cucharadas de salsa de soja clara

350 g de Quorn® o de cubos de soja

225 g de zanahorias, en rodajas

100 g de judías verdes, en trozos

4 tallos de apio, en rodajas

1 pimiento rojo, en tiras

arroz hervido, para acompañar

1 Disponga el jengibre rallado, el jengibre en polvo, la pasta de tomate, 1 cucharada de aceite de girasol, el ajo, la salsa de soja y los cubos de soja o Quorn® en un bol. Mezcle bien todos los ingredientes y revuélvalos con cuidado para no romper los cubos de soja o Quorn®. Cubra la preparación con plástico de cocina y déjela marinar durante 20 minutos.

2 Caliente el resto del aceite de girasol en un wok precalentado.

3 Añada los cubos de soja Quorn® al wok y sofríalos 2 minutos.

4 Incorpore la zanahoria, las judías verdes, el apio y el pimiento rojo, y saltéelos durante 5 minutos.

5 Disponga la verdura en platos individuales calientes y sírvala inmediatamente acompañada con arroz recién cocido.

### SUGERENCIA

El jengibre fresco se conserva durante semanas en un lugar frío y seco. También puede congelarlo e irlo partiendo según lo necesite.

195

# pimiento con castañas de agua y ajo

## para 4 personas

225 g de puerros

aceite, para freír

3 cucharadas de aceite de
cacahuete

1 pimiento amarillo, en rombos

1. pimiento verde, en rombos

1 pimiento rojo, en rombos

200 g de castañas de agua en
conserva, escurridas y en rodajas

2 dientes de ajo, majado

3 cucharadas de salsa de soja clara

1 Para hacer la decoración, corte
los puerros en juliana fina con
un cuchillo afilado.

2 Caliente un wok o una sartén
grande de base gruesa, vierta
el aceite y caliéntelo.

3 Añada el puerro en juliana y
saltéelo a fuego medio durante
2–3 minutos, o hasta que esté
crujiente. Resérvelo.

4 Deseche el aceite sobrante.
Caliente luego el aceite de
cacahuete en el wok o en la sartén.

### SUGERENCIA

Añada 1 cucharada de salsa
*hoisin* a la salsa de soja en el
paso 6 para dar mayor sabor.

5 Incorpore los rombos de pimiento
y saltéelos a fuego vivo durante
5 minutos, o hasta que empiecen a
tomar un color dorado por los bordes
y a ablandarse.

6 Añada las castañas de agua, el
ajo y la salsa de soja clara, y siga
rehogando la verdura durante otros
2–3 minutos.

7 Disponga el salteado de pimiento
en platos individuales calientes,
decórelo con el puerro y sírvalo.

# salteado de berenjenas especiadas

## para 4 personas

3 cucharadas de aceite de cacahuete

2 cebollas, cortadas en gajos

2 dientes de ajo, picados

2 berenjenas, en dados

2 guindilla frescas, depepitadas
   y muy picadas

2 cucharadas de azúcar de Demerara

6 cebolletas, en rodajas

3 cucharadas de *chutney* de mango

aceite, para freír

2 dientes de ajo, cortados en rodajas

1 Caliente el aceite de cacahuete en un wok o una sartén grande de base gruesa precalentados, deslice el aceite por todo el fondo hasta que esté bien caliente.

2 Incorpore la cebolla y el ajo picado, y sofríalos sin dejar de remover.

3 Añada la berenjena y la guindilla, y sofríalas durante 5 minutos.

4 Añada el azúcar de Demerara, la cebolleta y el *chutney* de mango al wok, y remuévalo bien.

5 Reduzca el fuego, tape el wok o la sartén y déjelo, revolviéndolo de vez en cuando, durante 15 minutos, o hasta que la berenjena esté tierna.

6 Disponga el salteado en cuencos individuales y manténgalo caliente.

7 Caliente el aceite para freír en el wok o en la sartén, y fría a fuego vivo las rodajas de ajo hasta que estén ligeramente doradas. A continuación, espárzalas sobre el salteado y sírvalo inmediatamente.

**SUGERENCIA**

El toque picante de la guindilla varía mucho de una variedad a otra. En general, cuanto más pequeñas, más picantes son. Las semillas y la membrana blanca son las partes más picantes; por eso se suelen desechar.

# salteado de verdura

## para 4 personas

3 cucharadas de aceite vegetal

8 cebollitas, cortadas por la mitad

1 berenjena, cortada en dados

225 g de calabacines, en rodajas

225 g de champiñones, cortados
    por la mitad

2 dientes de ajo, majados

400 g de tomate triturado de lata

2 cucharadas de pasta de tomates
    secados al sol

2 cucharadas de salsa de soja

1 cucharadita de aceite de sésamo

1 cucharada de vino de arroz chino
    o de jerez seco

pimienta

hojas de albahaca fresca, para
    decorar

### SUGERENCIA

La albahaca tiene un intenso sabor que combina perfectamente con la verdura y los condimentos chinos. Si quiere, puede añadir a este plato un puñado de hojas frescas de albahaca en el paso 4.

1 Caliente bien el aceite vegetal en un wok o en una sartén grande precalentados.

2 Incorpore luego las cebollitas y la berenjena, y sofríalas 5 minutos, o hasta que queden doradas y empiecen a ablandarse.

3 Añada al wok el calabacín, los champiñones, el ajo, el tomate y la pasta de tomate. Sofríalo todo durante unos 5 minutos. Reduzca el fuego y deje cocer la verdura durante 10 minutos o hasta que esté tierna.

4 Añada la salsa de soja, el aceite de sésamo y el vino de arroz o el jerez, llévelo a ebullición y cuézalo 1 minuto.

5 Salpimente el sofrito y esparza hojas de albahaca por encima para decorarlo. Páselo a una fuente caliente y sírvalo inmediatamente.

# salteado de patata

## para 4 personas

900 g de patatas mantecosas

2 cucharadas de aceite vegetal

1 pimiento amarillo, en dados

1 pimiento rojo, en dados

1 zanahoria, en juliana fina

1 calabacín, en juliana fina

2 dientes de ajo, majados

1 guindilla roja fresca, en rodajas

1 manojo de cebolletas, cortadas
    por la mitad a lo largo

125 ml de leche de coco

1 cucharadita de hierba de limón,
    picada

2 cucharaditas de zumo de lima

la ralladura fina de 1 lima

1 cucharada de cilantro fresco,
    picado

### SUGERENCIA

Tenga cuidado de no cocer
demasiado las patatas
en el paso 2, ya que podrían
romperse al saltearlas
en el wok.

1 Con un cuchillo afilado, corte las patatas en dados pequeños.

2 Lleve una cazuela grande con agua a ebullición. Incorpore los dados de patata y cuézalos durante unos 5 minutos. Saque las patatas de la cazuela y escúrralas bien.

3 Caliente el aceite vegetal en un wok o en una sartén grande precalentados, y repártalo bien por el fondo hasta que humee.

4 Añada las patatas, el pimiento, la zanahoria, el calabacín, el ajo y la guindilla, y sofríalos 2–3 minutos.

5 Incorpore la cebolleta, la leche de coco, la hierba de limón y el zumo de lima, y siga rehogando la mezcla otros 5 minutos.

6 Añada la ralladura de lima y el cilantro picado, y sofríalo todo 1 minuto más. Sírvalo inmediatamente.

# salteado de verdura con huevos

## para 4 personas

2 huevos

225 g de zanahorias

350 g de col

2 cucharadas de aceite vegetal

1 pimiento rojo, en tiras finas

150 g de brotes de soja

1 cucharada de ketchup

2 cucharadas de salsa de soja clara

75 g de cacahuetes salados, picados

1 Llene una cazuela pequeña de agua. Llévela a ebullición y añada los huevos. Cuézalos durante 7 minutos. Sáquelos de la cazuela y enfríelos bajo el agua del grifo durante 1 minuto. Pélelos y córtelos en cuartos. Resérvelos.

2 Ralle las zanahorias no muy finas a mano o utilice, si lo prefiere, el robot de cocina.

3 Quite las hojas exteriores duras o estropeadas de la col. Trocéela y luego píquela muy fina con un cuchillo bien afilado o con ayuda del robot de cocina.

4 Caliente un wok o una sartén grande de base gruesa, vierta el aceite vegetal y caliéntelo.

5 Incorpore la zanahoria, la col y el pimiento rojo, y sofríalos durante unos 3 minutos.

6 Añada los brotes de soja y rehóguelos durante 2 minutos.

7 Mezcle el ketchup y la salsa de soja en un cuenco pequeño, e incorpore la mezcla al wok o a la sartén. Añada los cahahuetes picados, y sofría el salteado 1 minuto más.

8 Disponga la verdura en platos individuales calientes y decórela con los huevos cocidos cortados en cuartos. Sírvala inmediatamente.

**1**

**2**

**3**

# pak choi con cebolla y anacardos

## para 4 personas

2 cebollas rojas

175 g col lombarda

2 cucharadas de aceite de cacahuete

225 g de *pak choi*

2 cucharadas de salsa de ciruelas

100 g de anacardos

---

### VARIACIÓN

Si lo prefiere, use cacahuetes
sin sal en lugar de anacardos.
También puede sustituir
el *pak choi* por espinacas
chinas, llamadas *callaloo*,
o por col china.

---

1 Con un cuchillo afilado, corte las cebollas rojas en gajos y pique la col lombarda.

2 Caliente un wok o una sartén grande de base gruesa, vierta el aceite de cacahuete y caliéntelo.

3 Añada los gajos de cebolla, y sofríalos durante unos 5 minutos, o hasta que la cebolla empiece a ablandarse.

4 Añada la col roja al wok o a la sartén, y sofríala durante otros 5 minutos.

5 Incorpore luego el *pak choi* y rehóguelo 2–3 minutos, o hasta que las hojas se empiecen a ablandar.

6 Vierta la salsa de ciruelas sobre la verdura, remuévalo bien para mezclar los ingredientes y caliéntelo hasta que hierva la salsa.

7 Esparza por encima los anacardos y disponga el salteado de *pak choi* en cuencos calientes. Sírvalo inmediatamente.

# salteado de verdura y frutos secos

## para 4 personas

115 g de cacahuetes sin sal, tostados

2 cucharaditas de salsa de guindilla
picante

175 ml de leche de coco

2 cucharadas de salsa de soja
oscura

1 cucharada de cilantro molido

1 pizca de cúrcuma molida

1 cucharada de azúcar mascabado

3 cucharadas de aceite
de cacahuete

3–4 chalotes, en rodajas finas

1 diente de ajo, en láminas

1–2 guindillas frescas rojas,
despepitadas y picadas

1 zanahoria grande, en juliana

1 pimiento amarillo, en tiras

1 pimiento rojo, en tiras

1 calabacín, en juliana

115 g de guisantes dulces

7,5 cm de pepino, en juliana

250 g de setas ostra

250 g de castañas de agua
en conserva, escurridas

2 cucharaditas de jengibre, rallado

la ralladura fina y el zumo de 1 lima

1 cucharada de cilantro, picado

sal y pimienta

gajos de lima, para decorar

1 Para hacer la salsa de cacahuete, muela los cacahuetes o píquelos muy finos. Dispóngalos en una cazuela pequeña con la salsa de guindilla, la leche de coco, la salsa de soja, el cilantro, la cúrcuma y el azúcar mascabado. Caliéntelo a fuego bajo y revuélvalo con cuidado 3–4 minutos. Resérvelo caliente.

2 Caliente el aceite en un wok o en una sartén precalentados. Añada el chalote, el ajo y la guindilla, y sofríalos a fuego medio durante 2 minutos.

3 Añada la zanahoria, el pimiento, el calabacín y los guisantes, y rehóguelo todo otros 2 minutos.

4 Incorpore luego el pepino, las setas, las castañas de agua, el jengibre, la ralladura y el zumo de lima, y el cilantro fresco, y sofríalo todo a fuego vivo 5 minutos, o hasta que la verdura esté hecha y crujiente. Salpimente.

5 Disponga el salteado de verdura en 4 platos calientes, y decórelo con los gajos de lima. Ponga la salsa de cacahuete en un cuenco y sírvala inmediatamente de acompañamiento.

# judías verdes con tomate

500 g de judías verdes, cortadas
en trozos de 5 cm

2 cucharadas de *ghee* vegetal

2,5 cm de jengibre, rallado

1 diente de ajo, majado

1 cucharadita de cúrcuma molida

½ cucharadita de cayena molida

1 cucharadita de cilantro molido

4 tomates, pelados, despepitados
y picados

150 ml de caldo de verdura

1 Escalde las judías en agua
hirviendo, escúrralas, lávelas
con agua fría y vuelva a escurrirlas.

2 Derrita el *ghee* en un wok o una
sartén a fuego suave. Añada el
jengibre, el ajo, la cúrcuma, la cayena
y el cilantro. Rehóguelo todo 1 minuto
a fuego bajo hasta que las especias
empiecen a soltar su aroma.

3 Añada el tomate picado y
remueva para mezclarlo bien
con las especias.

4 Añada el caldo de verdura,
llévelo a ebullición y déjelo cocer
a fuego medio-alto, removiéndolo
de vez en cuando, durante unos
10 minutos, o hasta que la salsa
se espese.

5 Incorpore las judías, reduzca el
fuego y déjelas cocer, removiendo
continuamente, durante 5 minutos.

6 Disponga las judías en una fuente
caliente y sírvalas enseguida.

# curry de calabacín

## para 4 personas

6 cucharadas de aceite vegetal

1 cebolla, muy picada

3 guindillas verdes frescas, picadas

1 cucharadita de jengibre, picado

1 cucharadita de ajo, majado

1 cucharadita de guindilla en polvo

500 g de calabacines, en rodajas

2 tomates, en rodajas

1 cucharada de hojas de cilantro,
   y un poco más para decorar

2 cucharaditas de semillas de
   fenogreco

*chapatis* (galletas de harina integral
   sin levadura), para servir

1 Caliente el aceite en un wok o en una sartén de base gruesa. Añada la cebolla, la guindilla, el jengibre, el ajo y la guindilla en polvo, y sofríalos a fuego bajo 2–3 minutos, hasta que la cebolla empiece a ablandarse.

2 Añada el calabacín y el tomate, y sofríalos a fuego medio durante 5–7 minutos.

3 Incorpore al wok o la sartén las hojas de cilantro fresco y las semillas de fenogreco, y rehóguelas a fuego medio durante unos 5 minutos, hasta que la verdura quede tierna.

### VARIACIÓN

Si lo prefiere, puede usar semillas de cilantro en lugar de semillas de fenogreco.

4 Retire el wok o la sartén del fuego y disponga el salteado de verdura en una fuente caliente. Decore con las hojas de cilantro y sírvalo caliente con *chapatis*.

# salteado verde

**para 4 personas**

2 cucharadas de aceite de cacahuete

2 dientes de ajo, majados

½ cucharadita de anís estrellado
   molido

1 cucharadita de sal

350 g de *pak choi* cortado en trozos

225 g de espinacas tiernas

25 g de tirabeques

1 tallo de apio, en rodajas

1 pimiento verde, en tiras

50 ml de caldo de verdura

1 cucharadita de aceite de sésamo

**SUGERENCIA**

El anís estrellado es un
ingrediente habitual en la cocina
china. Estas vainas de atractivo
aspecto se suelen usar para
decorar los platos. Su sabor es
similar al del licor, pero tiene
notas más especiadas y un
gusto muy intenso.

1 Caliente un wok o una sartén
grande, vierta el aceite y deslícelo
por toda la base hasta que esté bien
caliente.

2 Incorpore el ajo, sofríalo a fuego
medio 30 segundos, y añada
luego el anís, la sal, el *pak choi*, las
espinacas, los tirabeques, el apio
y el pimiento. Sofríalo todo durante
3–4 minutos.

3 Añada el caldo, baje el fuego,
tape el wok o la sartén, y déjelo
cocer unos 3–4 minutos. Quite la tapa
e incorpore el aceite de sésamo.
Mezcle bien todos los ingredientes.

4 Disponga el salteado de verdura
en una fuente caliente y sírvalo
inmediatamente.

# salteado de temporada

## para 4 personas

1 pimiento rojo, despepitado

115 g de calabacines

115 g de coliflor

115 g de judías verdes

3 cucharadas de aceite vegetal

unas ròdajitas de jengibre

½ cucharadîta de sal

½ cucharadita de azúcar

1–2 cucharadas de caldo de verdura
o de agua (opcional)

1 cucharada de salsa de soja clara

unas gotas de aceite de sésamo
(opcional)

1 Con un cuchillo afilado, corte el pimiento en dados pequeños y el calabacín en rodajas finas. Rompa la coliflor en ramitos y deseche los tallos gruesos. Asegúrese de picar la verdura en trozos similares para que se hagan uniformemente. Deseche las puntas de las judías y córtelas por la mitad.

2 A continuación, caliente un wok o una sartén grande de base gruesa, vierta el aceite y caliéntelo. Añada las verduras troceadas junto con el jengibre, y rehóguelo todo durante 2 minutos.

3 Salpimente y continúe sofriéndolo durante 1–2 minutos. Incorpore un poco de caldo de verdura o agua al wok sólo en caso de que quedase muy seco.

4 Añada la salsa de soja y el aceite de sésamo (opcional), y mezcle bien todos los ingredientes.

5 Disponga el salteado de verdura en una fuente y sírvalo inmediatamente.

# salteado de verduras de verano

## para 4 personas

225 g de zanahorias enanas

125 g de judías verdes

2 calabacines

1 manojo grande de cebolletas

1 manojo de rábanos

4 cucharadas de mantequilla

2 cucharadas de aceite de oliva suave

2 cucharadas de vinagre de vino
   blanco

4 cucharadas de vino blanco seco

1 cucharadita de azúcar caster

1 cucharada de estragón, picado

sal y pimienta

unas ramitas de estragón fresco,
   para decorar

**1** Corte las zanahorias por la mitad a lo largo, el calabacín en rodajas, las judías en trozos, y las cebolletas y los rábanos por la mitad.

**2** Derrita la mantequilla en un wok o en una sartén grande de base gruesa. Cuando salga espuma, añada la verdura y sofríala a fuego medio hasta que quede tierna, pero todavía firme y crujiente al morderla.

**3** Mientras, ponga el aceite de oliva, el vinagre y el vino blanco en una olla pequeña junto con el azúcar. Caliéntelo a fuego bajo hasta que el azúcar se haya disuelto por completo. Retire la salsa del fuego y añada el estragón picado.

**4** Cuando la verdura esté en su punto, vierta el aliño por encima. Remueva todos los ingredientes para impregnarlos bien. Salpimente el salteado y dispóngalo en una fuente. Decore este plato con las ramitas de estragón fresco y sírvalo inmediatamente.

# brécol a la naranja y al jengibre

## para 4 personas

750 g de brécol

2 rodajas finas de jengibre

2 dientes de ajo

1 naranja

2 cucharaditas de harina de maíz

1 cucharada de salsa de soja clara

½ cucharadita de azúcar

2 cucharadas de aceite vegetal

---

### VARIACIÓN

Si lo prefiere, prepare este plato con coliflor, o con coliflor y brécol mezclados.

---

1 Divida el brécol en ramitos pequeños. Pele los tallos con ayuda de un pelapatatas y, luego, córtelos en rodajas finas con un cuchillo afilado.

2 Corte también el jengibre y el ajo en trozos muy pequeños.

3 Corte 2 tiras largas de monda de la naranja y córtelas en juliana. Cúbralas con agua fría y resérvelas.

4 Exprima el zumo de la naranja y mézclelo en un cuenco con la harina de maíz, la salsa de soja clara, el azúcar y 4 cucharadas de agua.

5 Caliente el aceite en un wok precalentado. Añada los tallos de brécol y sofríalos 2 minutos.

6 Añada el jengibre, el ajo y el resto del brécol, y sofríalos otros 3 minutos.

7 Incorpore la mezcla de zumo de naranja y salsa de soja al wok, y siga cociendo, removiendo, hasta que la salsa se espese y el brécol quede bien impregnado.

8 Escurra la monda de naranja reservada e incorpórela al wok. Disponga el salteado en una fuente y sírvalo inmediatamente.

# Arroz y fideos

El arroz y los fideos son productos básicos en la dieta de los países del Lejano Oriente, ya que resultan económicos, nutritivos y muy sabrosos.

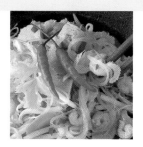

Son muy versátiles y combinan con casi todos los ingredientes. El arroz y los fideos pueden servirse como acompañamiento, o bien, preparados con carne, verdura o pescado y aderezados con especias aromáticas y otros condimentos constituyen un plato principal.

El arroz es una buena guarnición para una comida abundante y ayuda a asentar el estómago entre platos consistentes y especiados. Los fideos y su preparación varían mucho dependiendo del país. Los fideos al huevo se hacen con harina de trigo, agua y huevo, y son los más comunes en Occidente. Frescos o secos, se cocinan fácilmente y son ideales para comidas rápidas y sencillas.

# arroz chino frito

## para 4 personas

700 ml de agua

300 g arroz blanco de grano largo

2 huevos

4 cucharaditas de agua fría

3 cucharadas de aceite de girasol

4 cebolletas, en rodajas diagonales

1 pimiento rojo, verde o amarillo,
en tiras finas

3–4 lonchas de beicon, en tiras

200 g de brotes de soja frescos

115 g de guisantes

2 cucharadas salsa de soja clara
(opcional)

sal y pimienta

1 Disponga el agua en un wok con una cucharadita de sal y llévela a ebullición. Lave el arroz con agua fría hasta que el agua salga clara. Incorpore el arroz al wok. Remuévalo bien, tape el wok y déjelo cocer a fuego lento durante 12–13 minutos. (No quite la tapa durante el proceso de cocción, ya que el vapor se escaparía y el arroz no se haría bien.)

2 Retire la tapa, remueva el arroz y extiéndalo sobre una bandeja de horno para que se enfríe y se seque.

3 Bata cada huevo por separado con 2 cucharaditas de agua fría, sal y pimienta. Caliente 1 cucharada de aceite en el wok, vierta el primer huevo, extiéndalo por el fondo y, sin removerlo, cuájelo. Haga lo mismo con el segundo. Disponga las tortillas en una tabla de cocina y córtelas en tiras.

4 Añada el resto del aceite al wok, incorpore la cebolleta y el pimiento, y sofríalos 1–2 minutos. Añada el beicon en tiras y continúe removiéndolo durante 1–2 minutos más. Incorpore los brotes de soja y los guisantes, y mézclelos bien. Añada finalmente la salsa de soja, si lo desea.

5 Incorpore el arroz, salpiméntelo y sofríalo durante 1 minuto, luego añada las tiras de tortilla y continúe salteándolo todo durante 2 minutos, o hasta que el arroz esté bien caliente. Dispóngalo en una fuente templada y sírvalo inmediatamente.

# risotto chino

## para 4 personas

2 cucharadas de aceite de cacahuete

1 cebolla, cortada en gajos finos

2 dientes de ajo, majados

1 cucharadita de mezcla china
    de 5 especias

225 g de salchicha china, en rodajas

225 g de zanahorias, en dados

1 pimiento verde, en dados

275 g de arroz para *risotto*

850 ml de caldo de verdura
    o de pollo

6 cebollinos

### SUGERENCIA

La salchicha china tiene un intenso sabor. Está hecha de grasa y carne de cerdo picadas y especiadas. Utilice salchichón o un embutido parecido si no encuentra la variedad china.

1 Caliente un wok o una sartén grande de base gruesa, vierta el aceite y caliéntelo.

2 Incorpore al wok o la sartén la cebolla, el ajo y la mezcla china de 5 especias, y sofríalo todo bien durante 1 minuto.

3 Añada la salchicha, el pimiento y la zanahoria, y revuélvalo para mezclar todos los ingredientes.

4 Añada luego el arroz y sofríalo durante 1 minuto.

5 Vaya vertiendo poco a poco el caldo al arroz, removiéndolo constantemente hasta que el líquido haya sido absorbido por completo y el arroz esté tierno.

6 Pique bien el cebollino con unas tijeras e incorpórelo al wok cuando agregue el último caldo.

7 Disponga el *risotto* en cuencos individuales calientes y sírvalo inmediatamente.

# arroz al coco

## para 4 personas

275 g de arroz de grano largo

600 ml de agua

½ cucharadita de sal

100 ml leche de coco

25 g de coco deshidratado

virutas de coco fresco,
    para decorar (opcional)

1 Lave el arroz bajo el chorro de agua fría hasta que el agua salga completamente clara.

2 Escurra bien el arroz en un colador, que previamente habrá colocado sobre un cuenco. Así se elimina parte del almidón y los granos quedan más sueltos al cocerlos.

3 Disponga el arroz en un wok grande con el agua.

4 Añada la sal y la leche de coco, y llévelo a ebullición.

5 Cubra el wok con su tapa o con papel de aluminio. Reduzca el fuego y déjelo que se vaya cociendo de forma suave durante unos 10 minutos.

6 Destape y ahueque el arroz con un tenedor. El caldo tendría que haber sido absorbido y los granos deberían estar tiernos. Si no fuera así, añada más agua y déjelo cocer unos minutos hasta que quede seco.

7 Disponga el arroz en un recipiente caliente con el coco esparcido por encima. Decórelo con las virutas de coco y sírvalo inmediatamente.

### SUGERENCIA

La leche de coco se hace con pulpa de coco remojada en agua y leche, y luego exprimida para extraer todo su sabor. Se puede hacer en casa o adquirirse en conserva.

# congee de cangrejo

### para 4 personas

225 g de arroz de grano corto

1,5 litros de caldo de pescado

½ cucharadita de sal

100 g de salchicha china, cortada
en rodajas finas

225 g de carne blanca de cangrejo

6 cebolletas, en rodajas

2 cucharadas de cilantro picado

pimienta negra, para servir

#### SUGERENCIA

La carne de cangrejo debe ser lo
más fresca posible. Sin embargo,
para esta receta puede utilizar
cangrejo congelado o en lata.
El cangrejo se suele vender ya
cocido y tiene que resultar
pesado para su tamaño. Agítelo
para asegurarse de que no
contiene agua en su interior.

1 Caliente un wok o una sartén
grande e incorpore el arroz.

2 Añada luego el caldo de pescado
y llévelo a ebullición.

3 Reduzca el fuego y déjelo cocer
suavemente durante 1 hora,
removiéndolo de vez en cuando.

4 Añada la sal, la salchicha china,
la carne de cangrejo, la cebolleta
y el cilantro picado, y caliéntelo todo
durante unos 5 minutos.

5 Añada un poco más de agua al
wok o a la sartén si observa que
el *congee* ha quedado un poco seco.

6 Disponga el *congee* de cangrejo
en cuencos calientes individuales
y esparza pimienta negra por encima.
Sírvalo inmediatamente.

# arroz con pollo a las cinco especias

## para 4 personas

1 cucharada de mezcla china
   de 5 especias
2 cucharadas de harina de maíz
350 g de pechugas de pollo, sin
   piel y cortadas en trozos
3 cucharadas de aceite de cacahuete
1 cebolla, a cuadraditos
225 g de arroz blanco de grano largo
½ cucharadita de cúrcuma molida
600 ml de caldo de pollo
2 cucharadas de cebollino, picado

### SUGERENCIA

Tenga cuidado al manipular la
cúrcuma. Deja manchas de color
amarillo en las manos
y en la ropa.

1 Disponga la mezcla china de 5
especias y la harina en un cuenco
grande. Añada los trozos de pollo y
rebócelos bien con la mezcla.

2 Caliente bien 2 cucharadas del
aceite de cacahuete en un wok
precalentado. Incorpore la carne y
saltéela durante 5 minutos. Con una
espumadera, saque el pollo del aceite
y resérvelo.

3 Añada al wok el resto de aceite
de cacahuete.

4 Incorpore luego la cebolla y
sofríala durante 1 minuto.

5 Añada al wok el arroz, la cúrcuma
y el caldo, y llévelo a ebullición.

6 Vuelva a poner los trozos de pollo
en el wok, reduzca el fuego y
déjelo cocer suavemente 10 minutos,
o hasta que se haya absorbido el caldo
y el arroz esté tierno.

7 Añada el cebollino picado,
revuélvalo todo y sírvalo caliente.

# arroz con huevo y buey a las siete especias

## para 4 personas

225 g de arroz blanco de grano largo

600 ml de agua

350 g de solomillo de buey

2 cucharadas salsa de soja oscura

2 cucharadas de ketchup

1 cucharada de 7 especias chinas

2 cucharadas de aceite de cacahuete

1 cebolla, en dados

225 g de zanahorias, en dados

100 g de guisantes congelados

2 huevos, batidos

2 cucharadas de agua fría

---

### VARIACIÓN

Si lo prefiere, utilice carne de cerdo o pollo en lugar de buey o ternera.

---

1 Lave bien el arroz bajo el grifo y escúrralo. Dispóngalo luego en una cazuela con el agua, llévelo a ebullición, tápelo y deje que cueza suavemente durante 12 minutos, hasta que esté tierno. Extiéndalo sobre una bandeja y deje que se enfríe.

2 Con un cuchillo afilado, corte la carne en rodajas finas y dispóngala en un recipiente.

3 Ahora, mezcle la salsa de soja, el ketchup y el condimento de 7 especias chinas. Vierta la salsa sobre la carne e imprégnela bien.

4 Caliente bien el aceite en un wok precalentado. Añada la carne y saltéela durante 3–4 minutos.

5 Incorpore la cebolla, la zanahoria y los guisantes, y sofríalo todo 2–3 minutos. Añada luego el arroz y mézclelo con los otros ingredientes.

6 Bata los huevos con 2 cucharadas de agua fría. Vierta la mezcla en el wok, y sofríalo todo durante 3–4 minutos, o hasta que el arroz esté bien caliente y el huevo cuajado. Disponga el arroz en un recipiente caliente y sírvalo inmediatamente.

# arroz con pollo al estilo chino

## para 4 personas

350 g de arroz blanco de grano
    largo
1 cucharadita de cúrcuma molida
2 cucharadas de aceite de girasol
350 g de contramuslos de pollo, sin
    piel, deshuesados y en tiras
1 pimiento rojo, en tiras finas
1 pimiento verde, en tiras finas
1 guindilla verde, despepitada
    y muy picada
1 zanahoria, rallada no muy fina
150 g de brotes de soja
6 cebolletas, en rodajas, y un poco
    más para decorar
2 cucharadas salsa de soja clara
sal

1 Disponga el arroz junto con la cúrcuma en una cazuela grande con agua ligeramente salada. Cuézalo unos 10 minutos hasta que esté tierno. Escúrralo y séquelo bien presionándolo con un poco de papel de cocina.

2 Caliente el aceite de girasol en un wok o una sartén precalentados.

3 Incorpore seguidamente las tiras de carne y saltéelas a fuego vivo justo hasta que empiecen a adquirir un tono dorado.

4 Incorpore la guindilla verde y el pimiento, y siga sofriendo todos los ingredientes durante 2–3 minutos.

5 Añada el arroz cocido poco a poco, en tandas, y removiendo cada vez, para mezclarlo bien y para que los granos queden sueltos.

6 Añada la zanahoria, los brotes de soja y la cebolleta, y saltéelos durante otros 2 minutos.

7 Condimente el arroz con la salsa de soja y remuévalo bien.

8 Disponga el arroz con pollo al estilo chino en una fuente caliente. Decórelo, si lo desea, con la cebolleta reservada y sírvalo inmediatamente.

# salteado de arroz con huevo

## para 4 personas

2 cucharadas de aceite de cacahuete

1 huevo

1 diente de ajo, muy picado

1 cebolla pequeña, muy picada

1 cucharada de pasta de curry

250 g de arroz de grano largo cocido

55 g de guisantes cocidos

1 cucharada de salsa de pescado

2 cucharadas de ketchup

2 cucharadas de cilantro picado

PARA DECORAR:

flores de guindilla

rodajas de pepino

1 Para hacer las flores de guindilla, tome cada chile por el rabo con los dedos y, con un cuchillo de punta bien afilado, córtelo desde la punta hasta llegar casi al extremo superior. Haga 4 cortes en total. Sacuda las semillas. Corte luego cada "pétalo" por la mitad o en cuartos, de forma que obtenga 8–16 tiras. Deje las guindillas a remojo en agua con hielo.

2 Caliente 1 cucharadita del aceite en un wok precalentado. Bata bien el huevo con 1 cucharadita de agua. Viértalo en el wok y extiéndalo para cubrir todo el fondo. Cuando esté cuajada, retire la tortilla del wok, enróllela y resérvela.

3 Añada el resto del aceite en el wok, y sofría el ajo y la cebolla a fuego medio durante 1 minuto. Añada la pasta de curry, luego el arroz y los guisantes. Remuévalo bien para que todo se caliente uniformemente.

4 Incorpore al wok la salsa de pescado tailandesa, el ketchup y el cilantro picado. Retire el wok del fuego y disponga el arroz apilado sobre una fuente templada.

5 Corte luego el rollo de tortilla en espirales finas y decore con ellas el arroz, junto con las flores de chile y las rodajas de pepino. Sirva el salteado caliente.

# arroz frito con salchicha china

## para 4 personas

350 g de salchicha china

2 cucharadas de aceite de girasol

2 cucharadas de salsa de soja
  oscura

1 cebolla, en tiras

175 g de zanahorias, en juliana

175 g de guisantes

100 g de piña en conserva,
  escurrida y cortada en dados

275 g de arroz de grano largo

1 huevo, batido

1 cucharada de perejil, picado

1 Con un cuchillo afilado, corte la salchicha en rodajas finas.

2 Caliente el aceite en un wok precalentado. Incorpore la salchicha y sofríala durante 5 minutos.

3 Añada la salsa de soja y deje que hierva 2–3 minutos, o hasta que se caramelice.

4 Incorpore las tiras de cebolla, la zanahoria, los guisantes y la piña, y rehóguelo todo otros 3 minutos.

5 Añada el arroz cocido al wok y saltéelo todo durante unos 2–3 minutos, o hasta que el arroz esté bien caliente.

6 Vierta el huevo por encima del arroz salteado y déjelo cocer, removiendo los ingredientes, hasta que el huevo se haya cuajado.

7 Disponga el arroz frito con salchicha en un recipiente caliente, esparza el perejil fresco picado por encima y sírvalo de inmediato.

# arroz frito con cerdo a la guindilla dulce

## para 4 personas

450 g de solomillo de cerdo

2 cucharadas de aceite de girasol

2 cucharadas de salsa de guindilla dulce, y un poco más para servir (opcional)

1 cebolla, en rodajas

175 g de zanahorias, en juliana

175 g de calabacines, en juliana

100 g de brotes de bambú en conserva, lavados y escurridos

275 g de arroz de grano largo, cocido

1 huevo, batido

1 cucharadas de perejil, picado

---

### SUGERENCIA

Para preparar este plato de una forma realmente rápida, use verdura congelada en lugar de fresca.

---

1 Con un cuchillo afilado, corte el solomillo de cerdo en tiras finas.

2 Caliente el aceite en un wok o una sartén grande precalentados.

3 Incorpore ahora la carne de cerdo y saltéela unos 5 minutos.

4 Añada la salsa de guindilla dulce y deje que hierva 2–3 minutos, o hasta que se espese.

5 Añada la cebolla, la zanahoria, el calabacín y los brotes de bambú, y sofríalos durante 3 minutos.

6 Incorpore el arroz cocido y saltéelo 2–3 minutos, o hasta que el arroz esté bien caliente.

7 Vierta el huevo batido sobre el arroz y revuelva todos los ingredientes con 2 cucharas hasta que el huevo se cuaje.

8 Esparza perejil picado por encima y sírvalo inmediatamente, con el resto de la salsa de guindilla dulce, si lo desea.

# ensalada de fideos con aliño de coco y lima

## para 4 personas

225 g de fideos al huevo

2 cucharaditas de aceite de sésamo

1 zanahoria

115 g de brotes de soja

½ pepino

2 cebolletas, muy picadas

150 g de pechuga de pavo cocida,
   cortada en rodajas finas

ALIÑO:

5 cucharadas de leche de coco

3 cucharadas de zumo de lima

1 cucharada de salsa de soja clara

2 cucharaditas de salsa de pescado

1 cucharadita de aceite de guindilla

1 cucharadita de azúcar

2 cucharadas de cilantro, picado

2 cucharadas de albahaca, picada

PARA DECORAR:

cacahuetes

albahaca picada

1 Cueza primero los fideos en agua unos 4 minutos, o según se indique en las instrucciones del envase. Dispóngalos en un cuenco con agua fría para interrumpir la cocción. Escúrralos bien e imprégnelos con el aceite de sésamo.

2 Con un pelapatatas, corte las zanahorias en virutas gruesas. Escáldelas junto con los brotes de soja durante 30 segundos, y refrésquelas con agua fría otros 30 segundos. Escúrralos bien.

3 Disponga en un cuenco grande la zanahoria, los brotes de soja, el pepino, la cebolleta y el pavo. Añada los fideos y revuélvalo todo bien.

4 Disponga todos los ingredientes del aliño en un tarro de cristal con tapa y agítelo bien para mezclarlos.

5 Vierta el aliño sobre los fideos y revuélvalos. Disponga la ensalada en una fuente. Esparza por encima los cacahuetes y la albahaca. Sírvala fría.

# fideos con pollo y salsa de ostras

## para 4 personas

250 g de fideos al huevo

450 g de muslos de pollo, sin hueso

2 cucharadas de aceite de cacahuete

100 g de zanahorias, en rodajas

3 cucharadas de salsa de ostras

2 huevos

3 cucharadas de agua fría

---

**VARIACIÓN**

Si lo desea, para preparar
este plato puede sustituir
la salsa de otras por
la salsa *hoisin* o de soja.

---

1 Disponga los fideos al huevo en un recipiente grande. Cúbralos con agua hirviendo y déjelos en remojo durante 10 minutos.

2 Mientras, quite la piel de los muslos de pollo y corte la carne en trozos pequeños con un cuchillo afilado.

3 Caliente un wok o una sartén grande. Vierta el aceite de cacahuete, repártalo bien por el fondo y caliéntelo hasta que humee.

4 Añada el pollo y la zanahoria al wok y sofríalo todo 5 minutos.

5 Escurra bien los fideos. Añádalos al wok o a la sartén y saltéelos durante otros 2–3 minutos, o hasta que estén muy calientes.

6 Bata bien la salsa de ostras, los huevos y las 3 cucharadas de agua. Vierta la mezcla sobre el salteado de fideos y pollo, y sofríalo todo otros 2–3 minutos, o hasta que el huevo se cuaje.

7 Pase los fideos con pollo a cuencos individuales templados y sírvalos calientes.

# buey al jengibre con fideos crujientes

## para 4 personas

225 g de fideos al huevo de grosor
   medio

350 g de solomillo de buey

2 cucharadas de aceite de girasol

1 cucharadita de jengibre molido

1 diente de ajo, majado

1 guindilla roja fresca, muy picada

100 g de zanahorias en juliana

6 cebolletas, en rodajas

2 cucharadas de mermelada de lima

2 cucharadas de salsa de soja
   oscura

aceite, para freír

1 Disponga los fideos al huevo en un recipiente grande. Cúbralos con agua hirviendo y déjelos en remojo durante unos 10 minutos mientras sofríe el resto de los ingredientes.

2 Con un cuchillo afilado, corte el solomillo de buey en tiras finas.

3 Caliente el aceite de girasol en un wok o una sartén de base gruesa precalentados.

4 Añada al wok el buey y el jengibre molido, y saltéelos durante unos 5 minutos.

5 Incorpore el ajo, la guindilla roja, la zanahoria y la cebolleta, y siga sofriendo todos los ingredientes otros 2–3 minutos.

6 Añada la mermelada de lima y la salsa de soja, y deje que hierva 2 minutos. Retire el buey al jengibre del wok, resérvelo y manténgalo caliente hasta que lo necesite.

7 Caliente el aceite para freír en el wok o en la sartén grande.

8 Escurra los fideos y séquelos con papel de cocina. Con cuidado incorpore los fideos al aceite y fríalos durante 2–3 minutos, o hasta que estén crujientes. Déjelos escurrir sobre papel de cocina.

9 Reparta los fideos en 4 platos individuales calientes y disponga por encima de ellos el salteado de buey al jengibre. Sírvalo de inmediato.

# fideos con gambas al estilo de Singapur

### para 4 personas

250 g de fideos de arroz finos

4 cucharadas de aceite de
  cacahuete

2 dientes de ajo, majados

2 guindillas rojas frescas, picadas

1 cucharadita de jengibre, rallado

2 cucharadas de pasta de curry de
  Madrás

2 cucharadas de vinagre de vino
  de arroz

1 cucharada de azúcar caster

225 g de jamón cocido, en tiras

100 g de castañas de agua en
  conserva, cortadas en rodajas

100 g de champiñones, en láminas

100 g de guisantes

1 pimiento rojo, en tiras finas

100 g de gambas cocidas, peladas

2 huevos grandes

4 cucharadas de leche de coco

25 g de coco deshidratado

2 cucharadas de cilantro, picado

1 Disponga los fideos de arroz en un cuenco grande, cúbralos con agua hirviendo y déjelos en remojo durante 10 minutos. Escúrralos bien e imprégnelos con 2 cucharadas de aceite de cacahuete.

2 Caliente ahora el resto del aceite de cacahuete en un wok o sartén precalentados hasta que humee.

3 Añada el ajo, la guindilla, el jengibre, el curry, el vinagre y el azúcar, y sofríalos durante 1 minuto.

4 Incorpore el jamón, las castañas de agua, los champiñones, los guisantes y el pimiento rojo, y sofríalos otros 5 minutos.

5 Añada los fideos y las gambas, y sofríalos 2 minutos.

6 En un cuenco bata los huevos y la leche de coco. Viértalo en el wok y remuévalo hasta que cuaje.

7 Añada el coco deshidratado y el cilantro fresco, y remuévalo bien. Disponga los fideos con gambas en una fuente caliente y sírvalos inmediatamente.

# fideos pad thai

## para 4 personas

250 g de fideos de arroz planos

3 cucharadas de aceite de cacahuete

3 dientes de ajo, muy picados

115 g de filetes de cerdo, cortados
en trozos de 5 mm

200 g de gambas cocidas, peladas

1 cucharada de azúcar

3 cucharadas de salsa de pescado

1 cucharada de ketchup

1 cucharada de zumo de lima

2 huevos, batidos

115 g de brotes de soja

PARA DECORAR:

1 cucharadita de guindilla roja

2 cebolletas, muy picadas

2 Caliente el aceite de cacahuete en un wok o en una sartén grande, añada el ajo y sofríalo a fuego vivo 30 segundos. Incorpore la carne y saltéela otros 2–3 minutos, o hasta que esté dorada.

3 Incorpore las gambas. Añada el azúcar, la salsa de pescado tailandesa, el ketchup y el zumo de lima y sofríalo todo otros 30 segundos.

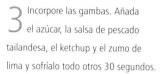

4 Añada el huevo y cueza hasta que se cuaje. Incorpore los fideos y los brotes de soja y, removiendo, deje cocer todo 30 segundos.

5 Disponga los fideos en una fuente y decórelos con la guindilla en copos y la cebolleta. Sírvalos calientes.

1 Ponga a remojar los fideos en agua caliente durante 10 minutos, o según las instrucciones del paquete. Escúrralos bien y resérvelos.

### SUGERENCIA

Escurra bien los fideos de arroz antes de incorporarlos al wok o a la sartén en el paso 4; un exceso de caldo podría estropear la textura del plato.

# arroz frito con gambas

### para 4 personas

300 g de arroz de grano largo

2 huevos

4 cucharaditas de agua fría

3 cucharadas de aceite de girasol

4 cebolletas, cortadas en rodajas
finas en diagonal

1 diente de ajo, majado

125 g de champiñones pequeños,
cortados en láminas

2 cucharadas de salsa de ostras
o de anchoas

200 g de castañas de agua en
conserva, lavadas y escurridas

250 g de gambas cocidas y peladas

sal y pimienta

berros picados, para decorar
(opcional)

1 Lleve una cazuela de agua salada
a ebullición. Incorpore el arroz,
vuelva a hervir el agua, reduzca el
fuego y deje cocer 15–20 minutos, o
hasta que el arroz esté tierno. Escúrralo
bien, lávelo con agua hirviendo y
escúrralo otra vez. Manténgalo
caliente.

2 Bata cada huevo por separado,
con 2 cucharaditas de agua fría,
sal y pimienta.

3 Caliente 2 cucharaditas de aceite
en un wok y repártalo bien por
el fondo hasta que humee. Vierta
un huevo, extiéndalo por el fondo y
cuájelo. Retírelo del wok, y haga lo
mismo con el segundo huevo. Corte las
tortillas en cuadrados de 2,5 cm.

4 Disponga el resto del aceite en el
wok y cuando esté bien caliente,
añada la cebolleta y el ajo, y sofríalos
durante 1 minuto. Incorpore los
champiñones y cueza otros 2 minutos.

5 Incorpore luego la salsa de ostras
o anchoas y salpimente. Añada
las castañas de agua y las gambas, y
sofríalas durante 2 minutos.

6 Añada el arroz al wok y sofríalo
1 minuto. Incorpore luego los
cuadrados de tortilla y sofría todo
durante 1-2 minutos, hasta que esté
bien caliente. Sírvalo inmediatamente,
con los berros picados, si lo desea.

# fideos de arroz crujientes

## para 4 personas

aceite vegetal para freír, y

1½ cucharadas para saltear

200 g de fideos de arroz vermicelli

1 cebolla, picada fina

4 dientes de ajo, picados finos

1 pechuga de pollo, sin piel,

picada fina

2 guindillas rojas frescas, picadas

3 cucharadas de gambas secas

4 cucharadas de setas secas,

remojadas y en tiras finas

4 cebolletas, picadas

3 cucharadas de zumo de lima

2 cucharadas salsa de soja clara

2 cucharadas de salsa de pescado

tailandesa

2 cucharadas de vinagre de arroz

2 cucharadas de azúcar moreno

2 huevos, batidos

3 cucharadas de cilantro picado

rizos de cebolleta, para decorar

1 Caliente el aceite en un wok y fría los fideos brevemente, hasta que se hinchen y queden crujientes y dorados. Déjelos escurrir sobre papel de cocina. Deseche el aceite.

2 Caliente 1 cucharada de aceite y sofría el ajo y la cebolla durante 1 minuto. Añada el pollo y sofríalo otros 3 minutos. Incorpore la guindilla, las gambas, las setas y la cebolleta.

3 Mezcle el zumo de lima, la salsa de soja, la salsa del pescado, el vinagre y el azúcar. Vierta la mezcla en el wok y cuézala 1 minuto. Retire la sartén del fuego.

4 Caliente el resto del aceite en una sartén grande. Vierta los huevos, extiéndalos por toda la base y haga una tortilla fina. Cuando esté bien cuajada y dorada, sáquela y enróllela. Corte luego la tortilla en tiras largas.

5 Mezcle en el wok los fideos fritos con el resto de los ingredientes sofritos, el cilantro y las tiras de tortilla, y caliéntelos. Decore el plato con las espirales de cebolleta y sírvalo inmediatamente.

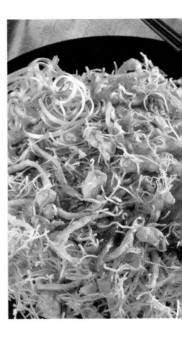

# cordero con fideos

## para 4 personas

250 g de fideos al huevo

450 g de solomillo de cordero, cortado en lonchas finas

2 cucharadas de salsa de soja oscura

2 cucharadas de aceite de girasol

2 dientes de ajo, majados

1 cucharada de azúcar caster

2 cucharadas de salsa de ostras

175 g de espinacas tiernas

### SUGERENCIA

Si elige fideos secos, siga las instrucciones del envase para ponerlos en remojo.

1 Disponga los fideos en un cuenco grande y cúbralos con agua hirviendo. Déjelos en remojo unos 10 minutos, o según indiquen las instrucciones del envase.

2 Lleve una cazuela grande llena de agua ebullición. Añada el cordero y cuézalo 5 minutos. Escúrralo bien.

3 Disponga el cordero en un cuenco y mézclelo con la salsa de soja y 1 cucharada del aceite de girasol.

4 Vierta el resto del aceite en un wok grande, extiéndalo por el fondo, y caliéntelo hasta que humee.

5 Añada el cordero macerado y el ajo al wok, y saltéelo 5 minutos, o hasta que la carne esté dorada.

6 Incorpore al wok el azúcar caster y la salsa de ostras, y remueva todo bien.

7 Escurra bien los fideos. Añádalos al wok y sofríalos durante otros 5 minutos.

8 Incorpore al wok las espinacas y rehóguelas durante 1 minuto, o hasta que empiecen a ablandarse. Disponga el cordero con fideos en cuencos individuales y sírvalo caliente.

# arroz con verduras al estilo chino

## para 4 personas

350 g de arroz blanco de grano largo

1 cucharadita de cúrcuma

2 cucharadas de aceite de girasol

225 g de calabacines, en rodajas

1 pimiento rojo, en tiras finas

1 pimiento verde, en tiras finas

1 guindilla verde fresca,
despepitada y muy picada

1 zanahoria, rallada no muy fina

150 g de brotes de soja

6 cebolletas, cortada en rodajas,
y un poco más para decorar
(opcional)

2 cucharadas de salsa de soja clara

sal

### SUGERENCIA

Si desea un plato de lujo,
sustituya la cúrcuma por
unas hebras de azafrán.

1 Disponga el arroz y la cúrcuma en una olla con agua salada y llévelo a ebullición. Reduzca el fuego y déjelo cocer suavemente 12–15 minutos, hasta que el arroz esté tierno. Escúrralo y séquelo completamente apretándolo con un poco de papel de cocina absorbente. Resérvelo.

2 Caliente el aceite de girasol en un wok grande precalentado.

3 Añada el calabacín y saltéelo durante 2 minutos.

4 Añada luego el pimiento y la guindilla, y sofríalos 2–3 minutos.

5 Incorpore el arroz cocido poco a poco, en tandas, removiéndolo bien cada vez.

6 Añada después la zanahoria, los brotes de soja y la cebolleta picada al wok, y siga sofriéndolo todo durante otros 2 minutos.

7 Aliñe el arroz con la salsa de soja y sírvalo decorado con el resto de la cebolleta, si lo desea.

# tortas de fideos al estilo tailandés

## para 4 personas

125 g de fideos de arroz vermicelli
2 cebolletas, muy picadas
1 tallo de hierba de limón, picado
3 cucharadas de coco fresco, rallado
aceite vegetal, para freír
guindillas rojas frescas, para decorar
PARA SERVIR:
115 g de brotes de soja
1 cebolla roja pequeña, en rodajas
1 aguacate, pelado, sin hueso
   y cortado en rodajas finas
2 cucharadas de zumo de lima
2 cucharadas de vino de arroz chino
1 cucharadita de salsa de guindilla

1 Rompa los fideos en trozos cortos y déjelos en remojo durante unos 4 minutos, o según las instrucciones del paquete. Escúrralos y séquelos bien con papel de cocina.

2 Mezcle los fideos, la cebolleta, la hierba de limón y el coco.

3 Caliente bien un poco de aceite en un wok o en una sartén de base gruesa. Engrase con aceite el interior de una forma redonda para cortar galletas de 9 cm de diámetro y dispóngala en la base del wok o de la sartén. Vierta 1 cucharada de fideos justo para cubrir el fondo y presiónelos ligeramente con el dorso de la cuchara.

4 Fríalos durante unos 30 segundos, retire luego la forma con cuidado y deje que la torta se siga tostando hasta que quede dorada. Déle la vuelta una vez con la espumadera. Cuando esté hecha por los dos lados, sáquela del fuego y déjela escurrir sobre papel de cocina. Repita el proceso con todos los fideos hasta hacer unas 12 tortas.

5 Para servir, disponga las tortas apilados de tres en tres con los brotes de soja, la cebolla y el aguacate entre las capas. Mezcle el zumo de lima, el vino de arroz y la salsa de guindilla, y vierta un poco del aliño sobre cada montadito. Sírvalo enseguida decorado con guindillas.

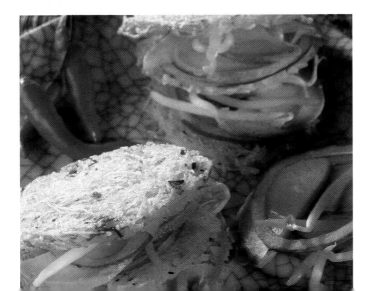

# fideos de arroz con espinacas

## para 4 personas

115 g de fideos de arroz planos

2 cucharadas de gambas secas

250 g de espinacas tiernas

1 cucharada de aceite de cacahuete

2 dientes de ajo, picados

2 cucharaditas de pasta de curry verde

1 cucharadita de azúcar

1 cucharada de salsa de soja clara

### SUGERENCIA

Para este plato es mejor usar espinacas tiernas, ya que se hacen en pocos segundos. Si las espinacas son grandes y duras, píquelas bien finas para que se ablanden más rápidamente durante la cocción.

**1** Ponga los fideos a remojo en agua caliente durante 15 minutos o según indiquen las instrucciones del envase.

**2** Disponga las gambas secas (opcional) en un cuenco pequeño y cúbralas con agua caliente. Déjelas en remojo 10 minutos. Luego escúrralas.

**3** Lave las espinacas, escúrralas bien y séquelas con papel de cocina. Corte y deseche los tallos y las partes duras.

**4** Caliente el aceite en un wok o en una sartén de base gruesa precalentados, y sofría el ajo 1 minuto. Añada la pasta de curry y sofríala 30 segundos. Incorpore las gambas (opcional) y sofríalas 30 segundos.

**5** Añada las espinacas y sofríalas 1–2 minutos, hasta que empiecen a ablandarse.

**6** Incorpore el azúcar y la salsa de soja, luego añada los fideos. Remuévalo todo bien. Dispóngalo en una fuente caliente y sírvalo enseguida.

243

# fideos borrachos

### para 4 personas

175 g de fideos de arroz planos

2 cucharadas de aceite vegetal

1 diente de ajo, majado

2 guindillas verdes frescas, picadas

1 cebollita, en rodajas finas

150 g de lomo de cerdo picado

1 pimiento verde, picado

4 hojas de lima cafre, picadas
   muy finas

1 cucharada de salsa de soja oscura

1 cucharada de salsa de soja clara

½ cucharadita de azúcar

1 tomate, cortado en gajos

2 cucharadas de albahaca picada,
   para decorar

PARA SERVIR:

hojas de lechuga

rábanos

1 Deje remojar los fideos en agua durante 15 minutos, o según las instrucciones del envase. Escúrralos.

2 Caliente un wok, vierta el aceite y sofría el ajo, la guindilla y la cebolla durante 1 minuto.

3 Incorpore la carne de cerdo picada y sofríala a fuego vivo otro minuto. Añada luego el pimiento verde y continúe rehogándolo todo durante otros 2 minutos.

4 Incorpore las hojas de lima, ambas salsas de soja y el azúcar. Añada los fideos y el tomate, y caliéntelo bien.

5 Adórnelo con la albahaca, y sírvalo con lechuga y rábanos.

### SUGERENCIA

Ponga las hojas de lima en una bolsa de plástico y guárdelas luego en el congelador; se conservan durante más de un mes. En el momento en que las necesite, sáquelas y úselas directamente.

# fideos con gambas picantes

## para 4 personas

2 cucharadas de salsa de soja clara

1 cucharada de zumo de lima
o de limón

1 cucharada de salsa de pescado
tailandesa

125 g de tofu firme, escurrido

125 g de fideos de celofán

2 cucharadas de aceite de girasol

4 chalotes, picados finos

2 dientes de ajo, majados

1 guindilla roja fresca y pequeña,
muy picada

2 tallos de apio, en rodajas finas

2 zanahorias, en rodajas finas

125 g de gambas cocidas, peladas

55 g de brotes de soja

PARA DECORAR:

hojas de apio

guindillas frescas

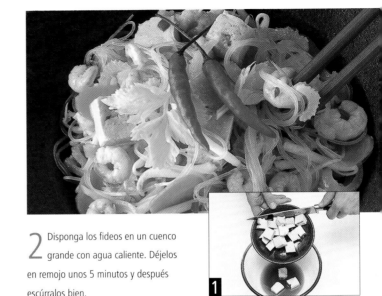

1 Mezcle la salsa de soja clara, el zumo de lima o de limón y la salsa de pescado en un cuenco pequeño. Con un cuchillo afilado corte el tofu en dados de 1–2 cm. Incorpore el tofu al cuenco y remuévalo para impregnarlo bien. Cúbralo con plástico de cocina y déjelo macerar durante 15 minutos.

2 Disponga los fideos en un cuenco grande con agua caliente. Déjelos en remojo unos 5 minutos y después escúrralos bien.

3 Caliente el aceite de girasol en un wok o en una sartén grande precalentados. Añada el chalote, el ajo y la guindilla roja, y sofríalo 1 minuto.

4 Incorpore el apio y la zanahoria, y siga rehogando todo durante otros 2–3 minutos.

5 Disponga los fideos en el wok o en la sartén, y sin dejar de removerlos, sofríalos 2 minutos. Añada las gambas, los brotes de soja, los dados de tofu y la mezcla de soja.

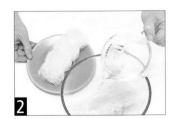

Caliente bien todos los ingredientes a fuego medio, sin dejar de remover durante 2–3 minutos.

6 Disponga los fideos con gambas en una fuente caliente y decórelos con las hojas de apio y las guindillas frescas. Sírvalos inmediatamente.

# fideos de celofán con gambas tigre

## para 4 personas

175 g de fideos de celofán

1 cucharada de aceite vegetal

1 diente de ajo, majado

2 cucharaditas de jengibre, rallado

24 gambas tigre crudos, pelados

1 pimiento rojo, despepitado y
   cortado en rodajas finas

1 pimiento verde, despepitado y
   cortado en rodajas finas

1 cebolla, picada

2 cucharadas salsa de soja clara

el zumo de 1 naranja

2 cucharaditas de vinagre de vino

1 pizca de azúcar moreno

150 ml de caldo de pescado

1 cucharada de harina de maíz

2 cucharaditas de agua

rodajas de naranja, para decorar

1 Cueza los fideos en una olla
con agua hirviendo 1 minuto.
Escúrralos, lávelos y vuelva a escurrirlos.

2 Caliente el aceite en un wok
precalentado. Sofría el ajo y
el jengibre durante 30 segundos.

3 Añada las gambas y sofríalas
2 minutos. Sáquelas con una
espumadera y resérvelas calientes.

4 Incorpore el pimiento y la cebolla,
y rehóguelos 2 minutos. Añada
la salsa de soja, el zumo de naranja,
el vinagre, el azúcar y el caldo. Vuelva
a añadir las gambas al wok y cuézalas
8–10 minutos, o hasta que estén hechas.

5 Mezcle la harina y el agua, y
vierta la mezcla en el wok. Lleve a
ebullición, añada los fideos y cuézalos
1–2 minutos. Decore el plato y sírvalo.

# salteado de fideos con setas a la japonesa

## para 4 personas

250 g de fideos al huevo japoneses

2 cucharadas de aceite de girasol

1 cebolla roja, en rodajas

1 diente de ajo, majado

450 g de setas variadas (*shiitake*, setas ostras, etc.), en láminas

350 g de *pak choi*

2 cucharadas de jerez dulce

6 cucharadas de salsa de ostras

4 cebolletas, picadas

1 cucharada de semillas de sésamo, tostadas

### SUGERENCIA

Los mercados y supermercados ofrecen una variedad cada vez mayor de setas. Si a pesar de todo no dispusiera de ellas, utilice champiñones corrientes.

1 Disponga los fideos al huevo japoneses en un cuenco grande. Cúbralos de agua hirviendo y déjelos en remojo durante 10 minutos.

2 Caliente el aceite de girasol en un wok precalentado.

3 Incorpore al wok la cebolla y el ajo, y saltéelos 2–3 minutos, o hasta que se ablanden.

4 Añada las setas y rehóguelas durante 5 minutos, o hasta que queden tiernas.

5 Disponga los fideos en un colador y déjelos escurrir bien.

6 Añada al wok el *pak choi*, los fideos escurridos, el jerez dulce y la salsa de ostras. Mezcle todos los ingredientes bien y sofríalos durante 2–3 minutos, o hasta que la salsa empiece a hervir.

7 Disponga el salteado en cuencos individuales calientes y esparza la cebolleta y las semillas de sésamo tostadas por encima para decorarlo. Sírvalo inmediatamente.

# fideos de arroz con setas y tofu

## para 4 personas

225 g de fideos de arroz planos

2 cucharadas de aceite de cacahuete

1 diente de ajo, muy picado

2 cm de jengibre, muy picado

4 chalotes, muy picados

70 g de setas *shiitake*, en láminas

100 g de tofu firme, escurrido
   y cortado en dados

2 cucharadas de salsa de soja clara

1 cucharada de vino de arroz

1 cucharada de salsa de pescado
   tailandesa

1 cucharada de mantequilla de
   cacahuete cremosa

1 cucharadita de salsa de guindilla

2 cucharadas de cacahuetes tostados

hojas de albahaca, cortadas en tiras

1 Deje remojar los fideos en agua
   caliente 15 minutos, o según se
indique en el envase. Escúrralos bien.

### SUGERENCIA

Si lo prefiere, puede sustituir
las setas frescas por setas de
la paja chinas en conserva,
bien escurridas. Se venden en
tiendas de productos chinos.

2 Caliente el aceite en un wok
   precalentado. Añada el ajo,
el jengibre y el chalote, y sofríalos
durante 1–2 minutos, o hasta que
estén tiernos y dorados.

3 Incorpore las setas y sofríalas a
   fuego medio otros 2–3 minutos.
Añada el tofu y remueva suavemente
hasta que esté dorado.

4 Mezcle la salsa de soja, el vino
   de arroz, la salsa de pescado, la
mantequilla de cacahuete y la salsa de
guindilla. Incorpore la mezcla al wok.

5 Añada los fideos y revuélvalos
   para impregnarlos con la salsa.
Decórelos con cacahuetes picados
y tiras de albahaca, y sírvalos calientes.

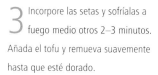

# chow mein de pollo

## para 4 personas

250 g de fideos al huevo de grosor
   medio

2 cucharadas de aceite de girasol

275 g de pechugas de pollo,
   cocidas, cortadas en tajadas

1 diente de ajo, muy picado

1 pimiento rojo, cortado en tiras

100 g de setas *shiitake*, cortadas
   en tiras

6 cebolletas, cortadas en rodajas

100 g de brotes de soja

3 cucharadas salsa de soja clara

1 cucharada de aceite de sésamo

1 Desenmarañe los fideos con cuidado y dispóngalos en un cuenco grande, cubiertos con agua hiviendo. Déjelos en remojo durante unos 10 minutos.

2 Caliente el aceite de girasol en un wok precalentado. Añada al wok el pollo, el ajo, el pimiento, las setas, la cebolleta y los brotes de soja, y sofríalo todo durante 5 minutos.

3 Disponga los fideos en un colador y deje que escurran bien el agua. Incorpórelos al wok, y sofríalos durante otros 5 minutos, sin dejar nunca de removerlos.

4 Añada luego la salsa de soja y el aceite de sésamo al *chow mein* y revuelva bien todos los ingredientes.

5 Disponga el *chow mein* de pollo en cuencos individuales calientes y sírvalo inmediatamente.

### VARIACIÓN

Si lo prefiere, puede hacer un *chow mein* vegetariano con una selección de verduras.

# salteado de bacalao y mango con fideos

## para 4 personas

250 g de fideos al huevo

450 g de filetes de bacalao, sin piel

1 cucharada de pimentón

2 cucharadas de aceite de girasol

1 cebolla roja, en rodajas

1 pimiento naranja, en rodajas

1 pimiento verde, en rodajas

100 g de mazorquitas de maíz,
   cortadas por la mitad

1 mango, pelado, sin hueso
   y cortado en rodajas

100 g de brotes de soja

2 cucharadas de ketchup

2 cucharadas de salsa de soja clara

2 cucharadas de jerez medio

1 cucharadita de harina de maíz

1 Disponga los fideos en un cuenco grande y cúbralos con agua hirviendo. Déjelos en remojo durante unos 10 minutos.

2 Lave los filetes de bacalao y séquelos con papel de cocina. Córtelos en trozos pequeños.

3 Disponga los pedazos de bacalao en un cuenco grande. Añada el pimentón y reboce con él el pescado.

4 Caliente el aceite de girasol en un wok precalentado.

5 Añada la cebolla, el pimiento y las mazorquitas de maíz, y sofríalo todo durante 5 minutos.

6 Incorpore el bacalao al wok junto con las rodajas de mango y sofríalo durante 2–3 minutos, o hasta que el pescado quede tierno.

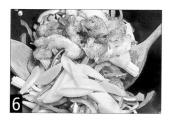

7 Añada los brotes de soja al wok y remueva bien los ingredientes.

8 Mezcle el ketchup, la salsa de soja, el jerez y la harina en un cuenco. Añada la mezcla al wok y cueza, removiendo de vez en cuando, hasta que la salsa se espese.

9 Escurra los fideos y dispóngalos en cuencos individuales calientes. Coloque en cuencos individuales calientes también el bacalao con el mango. Sírvalo inmediatamente.

# ÍNDICE

# tabla **de** equivalencias

Las equivalencias exactas de la siguiente tabla han sido redondeadas por conveniencia.

## medidas de líquidos/sólidos

| sistema imperial (EE.UU.) | sistema métrico |
|---|---|
| 1/4 de cucharadita | 1,25 mililitros |
| 1/2 cucharadita | 2,5 mililitros |
| 3/4 de cucharadita | 4 mililitros |
| 1 cucharadita | 5 mililitros |
| 1 cucharada (3 cucharaditas) | 15 mililitros |
| 1 onza (de líquido) | 30 mililitros |
| 1/4 de taza | 60 mililitros |
| 1/3 de taza | 80 mililitros |
| 1/2 taza | 120 mililitros |
| 1 taza | 240 mililitros |
| 1 pinta (2 tazas) | 480 mililitros |
| 1 cuarto de galón (4 tazas) | 950 mililitros |
| 1 galón (4 cuartos) | 3,84 litros |
| | |
| 1 onza (de sólido) | 28 gramos |
| 1 libra | 454 gramos |
| 2,2 libras | 1 kilogramo |

## temperatura del horno

| Fahrenheit | Celsius | gas |
|---|---|---|
| 225 | 110 | 1/4 |
| 250 | 120 | 1/2 |
| 275 | 140 | 1 |
| 300 | 150 | 2 |
| 325 | 160 | 3 |
| 350 | 180 | 4 |
| 375 | 190 | 5 |
| 400 | 200 | 6 |
| 425 | 220 | 7 |
| 450 | 230 | 8 |
| 475 | 240 | 9 |

## longitud

| sistema imperial (EE.UU.) | sistema métrico |
|---|---|
| 1/8 de pulgada | 3 milímetros |
| 1/4 de pulgada | 6 milímetros |
| 1/2 pulgada | 1,25 centímetros |
| 1 pulgada | 2,5 centímetros |